ASSEMBLÉE DES FRANCS-MAÇONS POUR LA RÉCEPTION DES MAÎTRES

Le Second Surveillant fait le signe de Maître
et va chercher le Récipiendaire qui est pour lors
en dehors de la loge avec le Frère Terrible.

Entrée d

Récipiendaire dans la loge.

On couche le Récipiendai

ur le cercueil dessiné dans la loge.

Le Récipiendaire est couché sur le cercueil dessi

Et tous les assistants ayant ti

ans la loge, le visage couvert d'un linge teint de sang.
'épée lui présentent la pointe au corps.

Le Grand Maître relève
l'accolade et en l…

Récipiendaire en lui donnant l'attouchement,
disant le mot du Maître.

Né en 1959, Luc Nefontaine est historien des religions et docteur en philosophie et lettres de l'Université libre de Bruxelles. Depuis plusieurs années, il étudie le fait maçonnique en observateur extérieur, s'intéressant aussi bien à son histoire qu'à ses aspects symboliques. Il a publié récemment plusieurs ouvrages généraux sur la franc-maçonnerie : *La Franc-maçonnerie* (Cerf-Fides 1990), *Eglise et franc-maçonnerie* (Editions du Chalet, 1990) et *La Franc-maçonnerie : 50 mots* (Desclée de Brouwer, 1993). Sa thèse, «Symboles et symbolique dans la franc-maçonnerie», est en cours de publication aux Editions de l'Université de Bruxelles.

A Christine, Florence et Laura

Dépôt légal : juin 1994
Numéro d'édition : 51736
ISBN : 2-07-053136-8
Imprimerie Kapp Lahure Jombart, à Evreux

LA FRANC-MAÇONNERIE
UNE FRATERNITÉ RÉVÉLÉE

Luc Nefontaine

DÉCOUVERTES GALLIMARD
TRADITIONS

Cela commence comme une histoire sans nom : il n'y eut ni traité ni déclaration qui présidèrent à la naissance de la franc-maçonnerie, toujours entourée de mystères par les maçons eux-mêmes, et par leurs détracteurs. D'aucuns veulent rattacher l'origine de la maçonnerie moderne, née au XVIIIe siècle, aux corporations médiévales de bâtisseurs : ce serait ces artisans, fervents catholiques, qui, au XIVe siècle, en Angleterre et en Ecosse, en auraient posé les fondations.

CHAPITRE PREMIER

UNE FRATERNITÉ DE BÂTISSEURS

Devenu pour les maçons le prototype du temple de l'humanité, le temple de Jérusalem, construit par Salomon au Xe siècle avant notre ère, a frappé l'imagination des artistes de la fin du Moyen Age. Ces outils, représentés sur la pierre tombale (ci-contre) d'un maçon français du XVIIe siècle, témoignent de la pérennité de l'art de la construction.

Mythes et légendes

Il s'est toujours trouvé des maçons – et même des antimaçons – pour échafauder des théories sur les origines de cette institution. Foisonnement de légendes et de mythes bien plus révélateur des mentalités de leurs auteurs que de la réalité historique. Et si, comme le pensait Mircea Eliade, le mythe est une histoire symbolique des origines, il faut découvrir à quelles intentions répondent ces

Reflet d'une opinion amplement partagée par les francs-maçons du XIXᵉ siècle, cette allégorie des origines de la franc-maçonnerie met en scène, sous des formes humaines, animales ou végétales, les principaux acteurs de l'histoire mythique de

multiples références. On peut déceler, par exemple, la volonté de placer la maçonnerie dans le sillage des grandes religions ou le désir d'en faire une société essentiellement chrétienne. Par ailleurs, la veine du secret et du mystère a été largement exploitée. Et un certain antimaçonnisme catholique a tiré parti de nombreuses légendes pour faire accroire que la maçonnerie était une institution non catholique, donc hérétique, fille du judaïsme et de multiples sectes, et qu'à ce titre elle devait être combattue.

l'institution. Au centre, le triangle renfermant l'œil de Dieu domine la Vérité. On reconnaît divers symboles des grandes religions ainsi que les philosophes éclairés (au premier plan), ancêtres des maçons, les vertus et les idoles païennes foulées aux pieds.

On se trouve alors en face d'un consternant florilège où l'extraordinaire le dispute à l'invraisemblable : la maçonnerie dériverait des cultes à mystères, comme ceux de Mithra ou d'Eleusis ; elle serait tantôt une secte gnostique, tantôt une fille du catharisme ; elle remonterait à l'Egypte ou à la Grèce antiques, ou même… à la création du monde !

Les tailleurs de pierre furent bien plus que de simples manœuvres. Appelés à édifier la chrétienté, ils mettaient en œuvre des techniques sophistiquées. Leur dextérité les porta au premier plan dans la construction des cathédrales. Revendiquer l'héritage de ces ancêtres signifie, pour les maçons modernes, une volonté de se rattacher à une élite dont ils perpétuent symboliquement les traditions en arborant les mêmes outils.

Une fraternité de métier

D'autres hypothèses sont plus vraisemblables. Certains ont pensé que la maçonnerie était issue du compagnonnage, cet ensemble de confréries rassemblant des artisans itinérants de même métier qui prit son essor à partir

du XVIᵉ siècle (on connaît les «Compagnons du tour de France»). Pourtant, en dépit d'un certain nombre de symboles communs, il n'y a aucun lien de filiation entre les deux institutions. Pas plus qu'il n'y en a avec l'ordre des Templiers, ces moines-soldats qui, au cours des XIIe et XIIIe siècles, protégeaient les pèlerins venus à Jérusalem. On eut tôt fait de les associer à des francs-maçons avant la lettre puisqu'ils se distinguaient aussi par leur réputation de maîtres d'œuvre de commanderies et de châteaux... Assimilation renforcée par les propos d'un maçon d'origine écossaise, le chevalier André Michel de Ramsay qui, en 1736, s'exclamait : «Nos ancêtres les Croisés, rassemblés de toutes les parties de la chrétienté dans la Terre sainte voulurent réunir ainsi dans une seule confraternité les particuliers de toutes les nations.» Ramsay précisera que les francs-maçons s'étaient unis avec les chevaliers de Saint-Jean-de-Jérusalem, et ce rattachement aux ordres chevaleresques séduira la noblesse française

Lorsque le roi Dagobert, au VIIe siècle, visite un chantier avec ses conseillers, son regard se porte d'emblée sur le savoir-faire des maçons tailleurs de pierres, semble nous dire cette miniature du XVe siècle.

Chymiſche Hoch-
zeit:
Chriſtiani Roſencreutz.
ANNO 1459.

Arcana publicata vileſcunt; & gra-
tiam prophanata amittunt.

Ergo: ne Margaritas obijce porcis, ſeu
Aſino ſubſterne roſas.

Straßburg,
In Verlägung / Lazari Zetzners.
Anno M. DC. XVI.

du XVIIIe siècle appartenant à la maçonnerie. D'où la fortune rapide que connut cette légende…

La maçonnerie descendrait-elle alors des Rose-Croix, une fraternité initiatique et mystique surtout connue en Allemagne à partir du XVIIIe siècle ? Assurément non, mais les mêmes aspects de fraternité et d'initiation ont pu faire illusion. Toujours est-il que, d'un point de vue historique, la maçonnerie est à l'origine une fraternité organisée de bâtisseurs dont les liens avec la maçonnerie moderne doivent être examinés. Car si de nombreux indices plaident en faveur d'une filiation continue, la preuve formelle fait bel et bien défaut…

En 1616 paraît à Strasbourg un ouvrage anonyme écrit en allemand : *Les Noces chimiques de Christian Rosenkreutz, anno 1459* (à gauche). Ce texte fut à l'origine du mythe de la fraternité de la Rose-Croix. L'auteur de cette mystification, qui fait croire à l'existence d'une nouvelle société secrète, est un jeune luthérien, Johann Valentin Andreae. Le rosicrucianisme n'est pas né que déjà il provoque une avalanche de réactions. En réalité, l'ordre des Rose-Croix d'Or, une société secrète conservatrice, ne prendra naissance que vers 1750, en Allemagne.

A l'ombre des cathédrales

Dès le XIe siècle, des associations de métiers émergent dans les pays occidentaux où s'érigent des cathédrales : charpentiers, verriers, maçons, etc. Certains ont rattaché ces confréries de bâtisseurs aux *collegia* romains, ces associations professionnelles d'artisans, créées au VIIIe siècle avant notre ère par le roi Numa. Les guildes de maçons sont ainsi présentes sur les chantiers en France, en Espagne, en Italie, en Allemagne, en Angleterre et en Ecosse. Pourtant, on ne peut situer aussi tôt la naissance de la maçonnerie car les premières traces écrites de l'institution datent du XIVe siècle, et il est hasardeux de vouloir remonter beaucoup plus loin dans le temps. A l'époque médiévale, on se trouve donc devant une franc-

maçonnerie de métier, composée d'artisans maniant la truelle, l'équerre et le compas. C'est une maçonnerie dite opérative (du latin *opus*, «œuvre», «ouvrage»), par opposition à la franc-maçonnerie moderne, dite spéculative, une société de pensée qui verra le jour au début du XVIIIe siècle et qui ne sera plus une corporation d'artisans.

Histoire d'un mot

Les origines de la franc-maçonnerie sont anglo-saxonnes. On ne trouve la première trace du mot «franc-maçon» qu'en 1376, sous sa forme anglaise, *freemason*. Enjeu de débats sur la nature originelle de la franc-maçonnerie, le mot a connu les interprétations étymologiques les plus variées. Deux hypothèses s'affrontent aujourd'hui. La première, défendue surtout par des historiens anglais, voit dans le *freemason* un sculpteur, un ouvrier privilégié et plus habile que les autres, taillant la *freestone*, la pierre tendre, sableuse ou calcaire, utilisée pour les croisées à rosace et les voussures des caves, alors que le travail de la pierre dure (la roche du Kent) était laissé au labeur d'ouvriers moins qualifiés. Mais selon la seconde, il faut voir dans le *freemason* un homme libre (le préfixe *free* semble l'attester), un ouvrier hors du commun, bénéficiant de franchises accordées par l'Eglise ou par les souverains,

La symbolisation constitue la marque essentielle de la maçonnerie moderne. Par cette symbolisation des outils s'opère plus sûrement que par la recherche de liens historiques, somme toute assez ténus, une continuité réelle entre maçonnerie opérative et maçonnerie spéculative. Dans l'imposant corpus symbolique de la franc-maçonnerie, le symbolisme des outils apparaît dès le début du XVIIIe siècle. En revanche, les symboles de la pierre brute et de la pierre taillée (ou «pierre cubique») sont introduits un peu plus tardivement, sans doute en France aux environs de 1740. Avec ses outils symboliques, par un patient travail sur lui-même, le maçon œuvre à la construction du temple de l'humanité et tente de se perfectionner. Tout se passe comme si le tracé, l'évocation d'équerres, de compas, de ciseaux engendrait dans l'esprit des idées de rectitude, de justice, de tempérance.

libre des obligations
d'une corporation ou
libre de naissance. En tout
cas, les tailleurs de pierre
étaient des artisans tenus en
haute estime par l'Eglise et les rois
qui les employaient. Pour certains, la
franc-maçonnerie médiévale serait ainsi
à rapprocher du «franc-mestier» dont
Etienne Boileau, prévôt de Paris sous Saint
Louis, parle dans son *Livre des métiers* (1268),
un recueil des statuts des confréries parisiennes.
Mais il faut garder à l'esprit que la franc-maçonnerie
est d'origine anglo-saxonne, et pour l'historien, les
confréries, guildes, corporations et autres fraternités
œuvrant en Europe, ailleurs qu'en Angleterre et
en Ecosse, ne peuvent être tenues pour des
associations marquant la proto-histoire de
la franc-maçonnerie moderne.

Au Moyen Age, équerre et compas étaient utilisés comme emblèmes par de nombreuses corporations. Traditionnellement l'équerre évoque la matière et la terre, et le compas symbolise l'esprit et le ciel.

L'Art royal

Les francs-maçons opératifs travaillent
selon des règles précises, ne laissant rien
au hasard, scrutant les secrets de la pierre
pour gagner les sphères d'une authentique
spiritualité. Car il leur faut du courage
pour mener à bien des projets aussi
gigantesques, mais aussi la foi,
et par-dessus tout la rigueur et
la discipline alliées à une solide
connaissance de l'architecture
et de la géométrie. Rien
d'étonnant, dès lors, à ce qu'ils
assimilent l'art de bâtir à la
géométrie, l'Art royal par
excellence, et que, de nos jours
encore, la maçonnerie soit

La conjonction de ces deux principes fondamentaux dans la franc-maçonnerie moderne sera riche de significations. Utilisée pour cimenter les pierres, la truelle est facteur d'unité. Elle est le symbole de la fraternité maçonnique. Elle symbolise aussi la fonction réconciliatrice de la maçonnerie : le franc-maçon se doit de surmonter les oppositions et aspire au rapprochement des hommes.

désignée par ces termes un peu emphatiques, déjà présents dans les Anciens Devoirs. L'art de la construction est vraiment royal parce que les princes et les rois, en tant que principaux maîtres d'ouvrages, le tiennent pour tel.

Du chantier à la loge

Les *Old Charges* ou Anciens Devoirs nous renseignent sur la nature et l'organisation de la franc-maçonnerie médiévale. Ces quelque cent cinquante manuscrits anglais s'échelonnant du XIVe au début du XVIIIe siècle, à la fois codes de conduite, livres de prières et récits légendaires, nous font plonger dans la vie quotidienne des maçons. Le manuscrit *Regius*, dit aussi *Manuscrit royal*, a longtemps été considéré comme le plus ancien (vers 1390). C'est aussi le plus connu. Mais on a aujourd'hui retrouvé des règlements antérieurs, comme les Ordonnances des maçons d'York (1352, 1370, 1409) ou celles des maçons de Londres (1356), rédigées en latin et en français sous un Plantagenêt. Au nombre des Anciens Devoirs, on compte aussi le manuscrit *Cooke* (vers 1430), qui devait inspirer les fondateurs de la maçonnerie moderne… Tous ces documents nous apprennent que les maçons se réunissaient dans des loges, des locaux installés à côté du chantier. Ils s'y transmettaient les secrets du métier, sous l'autorité du maître maçon, qui formait et soutenait les apprentis. On demeurait apprenti pendant plusieurs années avant d'être reconnu comme compagnon, expérience oblige. Les frères se devaient d'être loyaux, respectueux, honnêtes et pleins d'ardeur au travail, sous peine de se voir exclure de la guilde des maçons. Si initiation il y avait, elle ne consistait qu'en la communication des connaissances techniques, et non en une cérémonie symbolique qui incorporait le postulant à un groupe de maçons au moyen d'un rituel précis. Dans ce contexte, il n'était nullement question de cooptation; seule l'aptitude professionnelle était déterminante.

De cette époque dateraient les *landmarks*, «limites» ou «frontières» au-delà desquelles il n'y aurait plus de véritable franc-

Le compas à la main, Dieu est représenté, sur cette miniature du XIIIe siècle (page de gauche), comme le Grand Architecte de l'Univers.

«On doit pouvoir se fier au maître maçon comme à un homme ferme, loyal et véridique. [...] Tu dois payer tes compagnons selon le cours des subsistances, sache-le bien, et donner, loyalement et de bonne foi, à chacun d'eux ce qu'il mérite. Mais ne prends pas plus

pour leur salaire que le prix du travail qu'ils peuvent faire. Et garde-toi, par affection ou par crainte, de te laisser corrompre d'un côté ou de l'autre. De qui que ce soit, seigneur ou compagnon, ne touche d'argent en aucune manière. Et tel un juge, tiens-toi intègre, de manière à faire chacun son droit.**»**

Manuscrit *Regius*, vers 1390 (ci-dessus)

maçonnerie : croyance en Dieu, respect de la loi morale, composition exclusivement masculine des loges, obligation du secret.

Une institution catholique

En outre, les maçons devaient promettre fidélité au roi et à l'Eglise. C'est qu'ils étaient alors inconditionnellement catholiques, ponctuant leurs réunions d'invocations et de prières à la Trinité, à la Vierge Marie et aux saints. Certains règlements allaient jusqu'à obliger le maçon à une pratique religieuse régulière. Outre saint Jean, les maçons opératifs s'étaient plus particulièrement choisi quatre saint patronaux, connus dans toute la littérature maçonnique sous leur appellation

Selon le martyrologe romain, le 8 novembre est le jour commémoratif du triomphe des «quatre couronnés» – Sévère, Sévérien, Cartaphore et Victorien (ci-dessous). Ils furent flagellés à mort avec des fouets plombés pour n'avoir pas respecté l'ordre impérial d'élever un temple à une divinité païenne.

latine, les *quatuor coronati*
(«quatre couronnés»). D'après la
Légende dorée, ces quatre maçons
romains auraient refusé, sous Dioclétien,
de construire des temples aux divinités du
paganisme et c'est pour cette raison qu'ils auraient
été exécutés en 304 sur ordre de l'empereur. Ce
dernier les avait fait coiffer de couronnes dont les
pointes étaient enfoncées dans leurs crânes.
L'Eglise en fit quatre martyrs, fêtés le 8 novembre.

En Europe, à partir du XVe siècle, en même
temps qu'on construisait de moins en moins
d'édifices religieux, les loges opératives
disparaissaient les unes après les autres. Mais
on ignore pourquoi les loges d'Angleterre et
d'Ecosse ont subsisté et traversé tant bien
que mal les décennies jusqu'à
l'aube du XVIe siècle. D'autant que
certains historiens prétendent qu'il
n'y a pas de généalogie continue entre
les opératifs et les spéculatifs : les
maçons modernes ne seraient pas
les descendants des bâtisseurs et
se seraient contentés de leur
emprunter leurs outils, en
les détournant de leur fin
première. La question reste
ouverte. On note enfin que
si les maçons de l'époque
médiévale étaient catholiques
romains, il n'en va plus de
même à partir du XVIe siècle,
sous l'influence de
l'anglicanisme élisabéthain.
Ce tournant religieux en
annonce un autre, celui que vont
connaître les loges lors de la
période dite «de transition», que
l'on situe au XVIIe siècle et qui
conduira à l'avènement de la
franc-maçonnerie moderne ou
spéculative, celle que nous
connaissons aujourd'hui.

Par la suite, les
«quatre couronnés»
furent fêtés le même
jour que cinq autres
saints – Claudius,
Nicostrate,
Symphorien, Castor
et Simplicius – qui,
quelques années après,
avaient souffert le
même martyre. Ces
cinq sculpteurs avaient
refusé de sculpter une
idole comme l'exigeait
Dioclétien. Ils furent
enfermés vivants dans
des sarcophages de
plomb et jetés à la mer.
Associés aux quatre
précédents, ces cinq
martyrs sont aussi
honorés sous le nom
des «quatre couronnés»
et ont donné leur nom
à une loge anglaise de
recherches historiques,
la Quatuor Coronati,
fondée en 1884 et
toujours en activité.

A Free Mason,
Form'd out of the Materials of his Lodge

Behold a Master-Mason rare,
Whose mystic Portrait does declare
The Secrets of Free Masonry.
Fair for all to read and see,
But few there are to whom they're known,
Tho' they so plainly here are Shewn.

A partir du XVIIᵉ siècle, le recrutement des loges anglaises connaît une évolution irréversible : on y accueille des membres qui ne sont pas du métier, à la recherche d'une nouvelle spiritualité et d'un débat d'idées. Ce sont les maçons «acceptés». Exportée par les Anglais dès le début du XVIIIᵉ siècle, cette nouvelle maçonnerie spéculative, société de pensée philanthropique, essaimera dans toute l'Europe.

CHAPITRE II
UNE FRATERNITÉ ÉCLAIRÉE

Sur cette gravure anglaise de 1754, le franc-maçon est figuré à l'aide de ses attributs symboliques : les outils, la Bible, les colonnes, l'astre solaire, le tablier. L'ordonnancement témoigne de l'attachement à la géométrie, l'Art royal. Ces maçons attablés autour du tableau de loge (à droite) ont le regard tourné vers la lumière qui vient du triangle divin et se réfléchit dans le miroir en faisant apparaître l'inscription : «La lumière brille dans les ténèbres, mais les ténèbres ne l'ont point reçue» (Evangile de Jean, 1, 5).

Au cours du XVIIᵉ siècle, les loges anglaises reviennent peu à peu à la vie sous l'effet d'une métamorphose : des hommes de bien et des hommes de loi, des ecclésiastiques, des personnes bien pensantes et des penseurs sont admis aux réunions des maçons. Ces nouveaux membres sont dits «acceptés». Mais on ne sait ni comment ni surtout pourquoi les maçons acceptés sont reçus dans les loges. Sans doute étaient-ils considérés comme membres d'honneur, à la fois protecteurs et mécènes. On a gardé la trace de l'inscription à la loge d'Edimbourg, en 1600, de John Boswell, un noble écossais. Petit à petit, ces nouveaux venus devinrent majoritaires au sein des loges : en 1670, ils représentaient plus des trois quarts des effectifs de la loge d'Aberdeen.

Le temps des maçons acceptés

La franc-maçonnerie se transformait profondément en s'agrégeant ces nouveaux membres, épris d'idées nouvelles. Pour ces acceptés,

L a tradition alchimique parcourt l'histoire des hommes, de ses débuts en Chine au IVᵉ siècle av. J.-C. à son apparition dans le monde occidental au XIIᵉ siècle, en passant par le monde gréco-égyptien puis arabe. En recherchant la transmutation des métaux en or, les alchimistes pratiquaient autant un art qu'une science, et leur but était spirituel, voire mystique. A partir du XVIᵉ siècle, dans le sillage de Paracelse, ils ont développé une alchimie thérapeutique et fabriqué des médicaments, comme l'Allemand Michael Maier qui fut, à la cour de Prague, le médecin de Rodolphe II de Habsbourg. Newton lui-même, ami du maçon Désaguliers, a pratiqué l'alchimie.

il ne s'agissait plus de discourir sur les secrets et les astuces techniques d'un métier qu'ils n'avaient jamais exercé, mais d'explorer de nouvelles terres – souvent sacrifiées au nom de l'orthodoxie – qui avaient pour noms alchimie, hermétisme, occultisme, ésotérisme. Vastes continents au contact desquels la maçonnerie devenait une société de pensée, une société spéculative. Pour autant, la nouvelle institution n'avait pas perdu tout lien avec ses ancêtres opératifs, car ceux-ci avaient laissé derrière eux un héritage immuable : leurs outils devenaient symboles, appelés à modeler et à forger des consciences plutôt qu'à tailler des pierres. Ainsi l'équerre et le compas, le maillet et le ciseau parlaient directement au cœur de ces maçons de la première heure.

Quoi qu'il en soit, il est indéniable qu'au début du XVIIIe siècle la transition entre une maçonnerie de métier et une maçonnerie de pensée est achevée. En 1702, la loge londonienne Saint-Paul édictait que «les privilèges de la maçonnerie ne seront plus désormais réservés seulement aux ouvriers constructeurs mais, ainsi que cela se pratiquait déjà, ils seront étendus aux personnes de tous les états qui voudront y prendre part». Commence alors l'histoire de la maçonnerie moderne, dite aussi «symbolique» ou «spéculative», une histoire qui désormais se relate avec beaucoup moins d'incertitudes et de suppositions.

Si les premiers maçons aimaient à se réunir dans des tavernes, c'était pour satisfaire un besoin de convivialité et de fraternité, à l'occasion de repas ponctués de chansons. Ci-dessous, la première représentation d'un maçon français, avec son tablier, l'équerre et le compas.

1717 : naissance de la maçonnerie moderne

Ce sont des protestants anglais qui vont porter la franc-maçonnerie moderne sur les fonts baptismaux. Le 24 juin 1717, jour de la Saint-Jean, les membres de quatre loges londoniennes, auréolés pour la postérité du titre de fondateurs, se réunissent dans une taverne et fondent la Grande Loge de Londres. C'est la première obédience maçonnique, c'est-à-dire le premier groupement de loges au sein d'une fédération centralisatrice. Mais certaines loges anglaises refusent de se ranger sous la bannière de la Grande Loge de Londres. Ainsi voit-on la loge d'York former en 1753, avec d'autres loges, la Grande Loge des anciens maçons, consacrant ainsi une rupture, le «schisme des anciens et des modernes», qui durera jusqu'en 1813, année de la réconciliation officielle. Les «anciens» reprochaient notamment aux fondateurs de la Grande Loge de Londres, les «modernes», d'avoir déchristianisé le rituel maçonnique, de l'avoir détaché de ses origines opératives. Qui sont les fondateurs de la Grande Loge de Londres ? Certainement des ecclésiastiques, des hommes de loi et des *gentlemen*. A la tête de l'obédience, ils placent un grand maître, sorte d'administrateur général, Anthony Sayer. A Sayer succède, un an plus tard, George Payne, puis, l'année suivante, un homme de tout premier plan : Jean-Théophile Désaguliers (1683-1744). Français, natif de La Rochelle, il est le fils d'un

Les loges portaient le nom des tavernes où elles se réunissaient : L'Oie et le Gril, La Couronne, Le Gobelet et les Raisins, Le Pommier. Sur cet extrait de liste, figurent le jour de réunion et l'emblème de chaque loge.

pasteur protestant. Après la révocation de l'édit de Nantes, en 1685, il doit émigrer en Angleterre avec ses parents. Il deviendra ministre de l'Eglise anglicane et chapelain du prince de Galles. Il voyage sur le continent, en Hollande, où il assiste à l'initiation de François de Lorraine, et en France, où il rencontre Montesquieu. Il est aussi membre de la Royal Society, une société académique qui reçoit en son sein des hommes éminents appartenant à toutes les

Aujourd'hui encore, comme déjà sur cette gravure de 1723, les loges rassemblées en obédience portent un nom et un numéro, et se réunissent en assemblée annuelle. Le nombre de loges mentionnées ici témoigne déjà du vif succès de l'institution.

confessions religieuses. Son ami Newton, qui n'est pas maçon, en fait partie, tout comme, au siècle précédent, l'alchimiste anglais Elias Ashmole, un maçon «accepté». Dans les années 1720, près de la moitié des membres de la Royal Society sont francs-maçons.

Une société philanthropique et religieuse

En 1721, le grand maître de la Grande Loge de Londres demande à James Anderson – un pasteur de l'église presbytérienne écossaise – de compiler les *Old Charges* (Anciens Devoirs) des maçons opératifs et de rédiger de nouvelles «constitutions». Avec quatorze frères, dont surtout Désaguliers, qui est le véritable

Sur le frontispice des *Constitutions* d'Anderson, on voit le duc de Montagu, grand maître de la Grande Loge de Londres, remettre les constitutions à son successeur, le duc de Wharton. John, deuxième duc de Montagu (ci-dessous), exerçait de hautes fonctions à la cour d'Angleterre : sa désignation à la tête de la maçonnerie donnait plus d'autorité à la Grande Loge. Grâce à sa notoriété, la société maçonnique fut rapidement connue de la presse et du grand public.

inspirateur de ce travail, Anderson se met à la tâche et, au début de l'année 1723, il peut s'enorgueillir de publier sous son nom à Londres *The Constitutions of the free-masons*.

Dans ce texte fondateur, la maçonnerie est définie comme le «centre d'Union et le moyen de concilier une véritable amitié entre des personnes qui, autrement, seraient demeurées à une perpétuelle distance». La fraternité et le pluralisme étaient ainsi prônés, mais sous conditions. Les athées et les libertins irréligieux étaient écartés

des ateliers (ou loges) maçonniques, qui n'accueillaient que ceux qui souscrivaient à «la religion sur laquelle tous les hommes sont d'accord», la religion «naturelle» partagée par tout homme de bonne volonté. C'était l'esprit du déisme qui marquait la société anglaise d'alors : il s'agissait de respecter une morale naturelle et d'être tolérant vis-à-vis de toutes les religions. Newton déjà imaginait Dieu comme un grand architecte qui avait créé le monde. Pour les maçons, Dieu est le Grand Architecte de l'Univers. En dépit de la forte coloration chrétienne des loges anglaises, composées essentiellement de hauts fonctionnaires de l'Eglise anglicane et de catholiques, des juifs séfarades en faisaient partie : ils sont présents dans plusieurs loges londoniennes dès 1731.

Les francs-maçons ont repris à leurs ancêtres opératifs, outre les outils, les tabliers qu'ils revêtaient pour travailler la pierre. Devenus supports pour la réflexion, ils sont décorés de symboles et réalisés à l'aide de matières nobles : peau, soie. Au centre de ce tablier figure l'œil divin, qui évoque le contexte du théisme anglo-saxon au XVIIIe siècle.

Une société initiatique et symbolique

Dès sa naissance, la franc-maçonnerie moderne offre toutes les apparences d'une société initiatique : pour devenir membre d'une loge, il faut être choisi, accepté, puis initié. En réalité, dans les premières années, le rituel de l'initiation est très dépouillé, en sorte que l'on parle davantage de «réception». En outre, il n'existe que deux grades, ou «degrés», ceux d'apprenti et de compagnon. Progressivement, on se trouve devant une institution véritablement initiatique, qui transforme le profane en un homme nouveau, à l'aide d'un rituel plus élaboré et riche en significations. Cette évolution fut favorisée par l'apparition de la légende d'Hiram dans la maçonnerie, à partir de 1730.

Le mythe hiramique est central ; autour de lui s'articule l'initiation au nouveau grade de maître. Personnage biblique (Livre des Rois, Livre des Chroniques), Hiram de Tyr est un ouvrier bronzier engagé par le roi Salomon sur le chantier du temple. Mais la tradition maçonnique en fait plus qu'un habile fondeur. Il devient l'architecte du temple de Jérusalem. Hiram, maître architecte, est approché par trois mauvais compagnons qui veulent lui arracher par la force les secrets de la maîtrise. Mais il refuse et les compagnons l'assassinent avant de l'ensevelir. Informé de la disparition du maître, Salomon envoie des hommes à sa recherche. Grâce à une branche d'acacia qui sort de terre, ceux-ci découvrent le cadavre. La leçon de ce mythe ? Les secrets de la franc-maçonnerie sont incommunicables par nature. Les trois mauvais compagnons symbolisent trois défauts indignes d'un véritable maçon : l'ignorance,

C'est en 1730 que l'on trouve la première mention de la légende d'Hiram, dans *Masonry Dissected* de Samuel Prichard, un ouvrage de révélation écrit par un non-maçon. Depuis, le mythe n'a cessé d'être présent au troisième degré des rites d'initiation. Il fut diversement interprété, certains allant jusqu'à comparer la mort et la renaissance d'Hiram à celle du Christ. Par ailleurs, on trouve dans cette légende le thème de la «parole perdue». Le mot secret détenu par le maître Hiram était «Jéhovah». Craignant que les assassins aient pu lui ravir ce secret, les maîtres partis à sa recherche s'entendirent pour remplacer ce mot par une nouvelle parole de maître, le «mot substitué», c'est-à-dire le premier mot qu'ils prononceraient quand ils retrouveraient son cadavre. Ce fut «mac benac», que la tradition maçonnique traduit par «la chair quitte les os». Désormais, chaque nouveau maître doit chercher la parole perdue, c'est-à-dire s'efforcer de comprendre le monde, d'en dévoiler le sens. L'initiation au grade de maître consiste, entre autres, à revivre symboliquement le meurtre d'Hiram.

l'ambition, le fanatisme. Si Hiram est découvert sans vie grâce à l'acacia, pourtant symbole d'incorruptibilité et de renouvellement, c'est pour dire qu'il revit dans le cœur de chaque nouveau maître par un processus d'identification. Au passage, on note que les maçons sont appelés «enfants de la Veuve», car dans la Bible Hiram est le fils d'une veuve.

A la faveur d'un engouement pour les clubs, les nouvelles idées démocratiques et la pratique d'un pluralisme religieux, les loges se multiplient rapidement en Angleterre, puis gagnent les colonies britanniques d'alors (en Amérique du Nord, aux Indes et au Canada), la vieille Europe et même la Turquie, la Chine, l'Argentine et le Brésil.

Ce tablier (ci-dessous) illustre la vengeance d'Hiram. On voit les squelettes des assassins, un supplicié attaché à une croix, une porte de Jérusalem sur laquelle se trouve une tête plantée sur un pal, ainsi que les quinze larmes d'argent, en référence au deuil provoqué par la mort d'Hiram. Au centre, l'acacia, symbole de la renaissance, et la colonne Boaz.

Dès la seconde moitié du XVIIIᵉ siècle, la littérature maçonnique française se développa considérablement, donnant force détails sur les grades pratiqués (à gauche). La maçonnerie intrigue et fait l'objet de bien des rumeurs. Très rares chez les Anglo-Saxons, les abréviations en forme de trois points disposés en triangle furent d'un usage très courant en France : ce document (ci-dessous), s'ouvrant au nom «D.G.A.D.L.» («du Grand Architecte de l'Univers»), émane de la loge La Parfaite Vérité à Carcassonne et autorise la fondation de la loge Prudence à Saint-Paul-de-Fenouillet, en l'année maçonnique 5760, c'est-à-dire 1760.

1738, naissance de la Grande Loge de France

L'implantation par les Anglais des loges maçonniques en France se situerait vers 1725. Certains historiens affirment cependant qu'il faut remonter à l'année 1688 pour trouver en France des loges écossaises catholiques, loges militaires qui accompagnèrent dans sa fuite le roi d'Angleterre Jacques II. Quoi qu'il en soit, les premières loges françaises sont parisiennes : Saint-Thomas au Louis d'Argent (4, rue de Buci), Coustos-Villeroy, Bussi-Aumont, etc. Elles sont soit fondées par la Grande Loge de Londres, soit d'origine jacobite (partisanes des Stuart et de Jacques II). Elles sont composées de nobles,

Statuts de l'Ordre Royal de la franc-Maçonnerie en france

Chapitre 1er Constitution de l'ordre.

Section 1ere du corps Maçonique de france.

article 1er

Composition. *Le corps de l'ordre royal de la franc maçonnerie, sous le nom et titre distinctif de corps maçonique de france, sera composé des seuls maçons reguliers reconnus pour tels par le Grand orient*

Philippe Egalité, père du roi Louis-Philippe et guillotiné en 1793, était en 1773 à la tête du Grand Orient de France.

d'ecclésiastiques, de bourgeois. Avant 1744, il n'y a que peu de loges en province : Bordeaux, Beaucaire, Lunéville, Metz, Niort, Bayonne, Valenciennes. Cela tient pour une part au hasard, et pour une autre part à trois facteurs conditionnant l'implantation maçonnique : l'influence anglaise, les loges militaires et les négociants voyageurs. Par exemple, le premier atelier de Bordeaux est créé par trois officiers de marine anglais en 1732. Puis c'est une pénétration progressive sur tout le territoire, avec des densités variables selon les régions. En 1738, la première obédience française voit le jour : c'est la Grande Loge de France. Plus tard, en 1773, apparaît une obédience rivale, le Grand Orient de France, dont le succès est d'emblée considérable, et dont la création résulte d'une scission au sein de la Grande Loge, à cause de dissensions internes provoquées par des maîtres de loges parisiennes refusant l'autorité de l'obédience. En réalité, des vénérables maîtres voient d'un mauvais œil de devoir se soumettre à des élections et redoutent de perdre leurs charges, achetées sous l'Ancien Régime, une pratique courante à l'époque. Au contraire, le Grand Orient veut établir une autorité centralisatrice et instaurer une élection démocratique des représentants des loges. A la tête du Grand Orient de France est installé Louis-Philippe (1747-1793), duc de Chartres puis duc d'Orléans, qui prendra le nom de Philippe Egalité en 1792.

Au XVIIIe siècle est apparu un art de la table spécifiquement maçonnique, destiné à agrémenter les «agapes» des frères : plats, assiettes, tasses, réalisés en faïence et décorés de symboles. Leur exécution était parfois confiée à des loges de faïenciers.

Rien ne ressemble plus à une tenue de loge qu'une autre tenue de loge. Sur cette aquarelle du XVIIIᵉ siècle, on en retrouve les principaux éléments. Si les pratiques rituelles varient selon les lieux et les époques, le canevas de base demeure. En quelque loge qu'il se trouve, le franc-maçon ne se sent pas dépaysé. Partout, le rituel maçonnique joue le rôle d'une technique de conditionnement. C'est qu'il suppose l'existence d'une communauté, et d'un type de communication encadré par des règles strictes. Au sein de cet espace clos peuvent jaillir des paroles spontanées, véritable expression d'une liberté qui ne demande qu'à croître au contact d'autres paroles. Il en résulte la création d'un espace sacré, véritablement hors du monde, qui demeure cependant une fenêtre ouverte sur le langage symbolique, et constitue ainsi un tremplin vers une communication universelle. Le rituel initiatique aide à la mise en œuvre d'un travail qui doit conduire à la réalisation profonde de soi. Sans rite, il n'y a pas d'initiation, sans rite, l'homme ne peut entrer en relation avec ce qui dépasse son individualité.

Une maçonnerie déiste

Par l'entremise de Montesquieu et de Voltaire, qui tous deux séjournèrent en Angleterre, le déisme entre en France, sous une forme cependant moins tolérante à l'égard des religions qu'en Angleterre. On cherche alors à établir une religion naturelle débarrassée de

Les membres se tiennent assis. Entouré de deux frères, le nouveau candidat vit son initiation. A l'Orient se trouve le vénérable, à sa gauche l'orateur.

toute révélation surnaturelle, de tout dogme, de toute autorité d'une quelconque Eglise. Seule la raison doit éclairer l'homme du siècle des Lumières. Le franc-maçon n'y coupe pas. Mais dans l'ensemble il reste un homme religieux se mouvant dans un environnement philosophique chrétien, et les athées sont plutôt rares : tout au plus peut-on citer Helvétius et Choderlos de Laclos.

Dans le but de promouvoir les arts et les sciences, Jérôme de Lalande fonde en 1776, à Paris, la célèbre loge Les Neuf Sœurs qui s'enorgueillit de recevoir Voltaire comme maçon, quelques semaines avant sa mort. Faut-il s'étonner dès lors que l'astronome Lalande soit invité à rédiger l'article «Francs-maçons» dans l'*Encyclopédie* de Diderot et d'Alembert ? Il y définit la maçonnerie comme «la réunion de

A droite, un diplôme de reconnaissance délivré par une loge. Ces diplômes étaient utiles lorsqu'un maçon, amené à partir en voyage (militaire ou négociant), devait prouver aux frères qu'il rencontrait son appartenance à la franc-maçonnerie. Jusqu'à la fondation du Grand Orient de France, chaque loge délivrait elle-même ses diplômes, d'où le nombre important de faux mis en circulation.

personnes choisies qui se lient entre elles par une obligation de s'aimer comme frères, de s'aider dans le besoin, et de garder un silence inviolable sur tout ce qui caractérise leur ordre».

Tous les maçons français ne sont cependant pas déistes et rationalistes

Le comte Joseph de Maistre par exemple : c'est un ultramontain qui défend avec acharnement le pouvoir et l'autorité du pape et qui s'oppose avec véhémence au gallicanisme, cette tendance de l'Eglise catholique de France à vouloir marquer son autonomie par rapport à Rome. Ou le chevalier de Ramsay : c'est un disciple de Fénelon, converti à un catholicisme mâtiné de

quiétisme, une doctrine selon laquelle le croyant doit rester dans un état de repos, de quiétude, en union avec Dieu, indifférent aux actes ou au péché, et qui rêve de réconcilier tous les chrétiens grâce à la franc-maçonnerie.

Réfractaires à l'idée de l'homme éclairé, situés aux antipodes du déisme moralisateur et desséchant, des maçons épris de mystères, férus d'ésotérisme,

L a franc-maçonnerie s'est honorée d'accueillir Voltaire dont elle reconnaît pour une large part les idées : tolérance, rejet du dogme, du fanatisme et des superstitions. Mais le mobile qui a poussé Voltaire à se laisser initier était la vanité bien plus que l'attrait pour la maçonnerie dont les cérémonies lui semblaient extravagantes. Le tablier d'Helvétius qu'aurait porté Voltaire le jour de son initiation (ci-dessus) constitue un exemple caractéristique de l'iconographie maçonnique du XVIIIe siècle : stylisation, équilibre, classicisme, «égyptomanie» (la pyramide à gauche), recherche du raffinement dans l'ornementation.

Mystificateur, aventurier, magnétiseur, Cagliostro, alias Joseph Balsamo, est le fondateur d'un rite maçonnique égyptien dont il se proclamait le Grand Cophte. A Londres, en 1786, il suscite la raillerie de ses frères alors qu'il est occupé à vanter les mérites d'un de ses prétendus remèdes (à gauche). Initié en 1752 dans une loge de Fredericksburg, en Virginie, George Washington ne put récuser son passé maçonnique lorsqu'il devint en 1789 le premier président des Etats-Unis : en posant la première pierre du Capitole, il arborait un tablier maçonnique.

commencent, dès la seconde moitié du siècle, à se reconnaître davantage dans l'homme illuminé, autre versant des Lumières. En voulant s'éloigner de la lucidité rationnelle, ils gagnent des contrées où le mysticisme côtoie parfois un ésotérisme de pacotille. Ainsi, Martines de Pasqually est à l'origine de la vague théosophique qui secoue la maçonnerie française jusqu'en 1789. Le théosophe veut comprendre le monde à partir de la religion ; par la réflexion et l'illumination intérieure, il découvre Dieu et le monde. Pasqually est le fondateur d'un ordre des Chevaliers maçons élus Cohens de l'univers et l'auteur d'un *Traité de la réintégration des êtres* (1772-1773) dans lequel il préconise le recours à des invocations magiques pour entrer en contact avec Dieu. Il laisse derrière lui deux émules : Louis-Claude de Saint-Martin et Jean-Baptiste Willermoz.

Une expansion mondiale

Si, en 1738, la Grande Loge de Londres se proclame Grande Loge d'Angleterre, c'est qu'elle compte alors des loges à travers tout le pays, et même dans ses colonies, en Amérique du Nord, au Canada et aux Indes. Les Anglais vont exporter leurs ateliers jusqu'en Turquie, en Chine et au Nicaragua. Ailleurs en Europe, c'est la contagion... Voici les Pays-Bas autrichiens touchés, avec Gand, Tournai et Mons, le

Luxembourg et la Hollande. L'Allemagne ne se trouve point épargnée, pas plus que l'Autriche, la Hongrie, la Bulgarie, la Roumanie, la Grèce. On voit des loges faire irruption en Suisse, dans les pays scandinaves, dans tout l'empire de Russie. Elles s'installent aussi en Europe méridionale, en Italie, en Espagne, au Portugal. Hormis l'influence des Anglais et des Français, comment expliquer cette diffusion

Ci-contre, ce couvercle d'une boîte en émail reproduit un tableau intitulé *La Bien-Aimée*, du nom d'une loge hollandaise. Cette femme assise au pied d'une colonne symbolise la beauté et la vertu. Avec les outils maçonniques à ses pieds, elle apparaît comme une allégorie de la force et de la sagesse.

autrement que par l'attrait pour la liberté de s'associer et de se retrouver au sein d'une fraternité protégée du monde extérieur ?

En Allemagne, les Lumières épousent un mouvement de balancier similaire

Un courant déiste et rationaliste puis un courant romantique font adopter aux francs-maçons allemands le même tempo. Gotthold Ephraim Lessing, écrivain et auteur dramatique, est le modèle du maçon éclairé qui s'inscrit dans le sillage de l'*Aufklärung*, l'équivalent du courant français déiste

Dans *Nathan le Sage*, l'écrivain allemand Lessing prône la tolérance religieuse en honneur dans les loges, au nom de la raison et de la sagesse. C'est pourtant le même Lessing qui n'a pu se résoudre à admettre un juif dans une loge, même s'il s'agissait de son ami, le philosophe Moses Mendelssohn.

Au premier plan de cette *Réception dans une loge à l'Orient de Vienne* (1786), on voit le nouvel apprenti, debout, les yeux encore bandés qui, entouré de ses frères, s'apprête à recevoir la lumière. Au premier plan, à droite, serait représenté Mozart, le plus grand compositeur maçonnique. Initié en 1784 dans la loge viennoise La Bienfaisance, il a laissé à la postérité un opéra dont l'inspiration maçonnique est évidente, *La Flûte enchantée* (1791). L'attachement de Mozart à la franc-maçonnerie l'a conduit à composer nombre de cantates et de chants maçonniques. Aujourd'hui encore, beaucoup de ses compositions sont utilisées par les ateliers en diverses occasions. Par ailleurs, Mozart encouragea son père Léopold et son ami Joseph Haydn à se faire initier. Il peut alors sembler étrange qu'aucun musicien occupé à jouer de son instrument ne soit représenté sur ce tableau. C'est qu'à l'époque les réunions proprement dites ne comportaient aucune musique rituelle. Outre les initiations, les loges de Vienne organisaient des causeries sur des sujets historiques ou scientifiques.

Dans son château de Rheinsberg, Frédéric II de Prusse (ci-contre), franc-maçon, installe une loge et initie des princes allemands. Ce despote éclairé entretient des rapports tumultueux avec Voltaire, qui lui écrit : «Je tombe des nues quand vous m'écrivez que je vous ai dit des duretés. Vous avez été mon idole pendant vingt années de suite. Mais votre métier de héros et votre place de roi ne rendent pas le cœur bien sensible.» A quoi le roi répond : «Apprenez à votre âge de quel style il convient de m'écrire. Devenez enfin philosophe, c'est-à-dire raisonnable.»

et rationaliste. Mais Lessing participe de l'esprit piétiste renaissant dans l'Allemagne du XVIIIe siècle car il pense que la franc-maçonnerie doit regrouper des hommes «affranchis de tous les préjugés attachés à la religion de leur pays». Il veut faire de la maçonnerie la société parfaite, une Eglise invisible. Goethe et Herder sont des témoins du romantisme, de cette réaction contre le rationalisme qu'en Allemagne on a désigné par les termes *Sturm und Drang* et qui inclut un retour au sentiment, à la subjectivité, mais aussi au passé, présumé meilleur que le présent. Sur beaucoup de maçons du XIXe siècle, l'influence de Herder sera considérable et dépassera les frontières de son pays. Ses *Idées sur la philosophie de l'histoire de l'humanité*, parues en 1773, seront traduites en français en 1825 par un historien des religions sans doute franc-maçon, Edgar Quinet, professeur au Collège de France.

Une société dérangeante?

Très tôt, la franc-maçonnerie a ses détracteurs. En France, dès 1737, le lieutenant de police Hérault fait saisir dans une loge des documents et des objets, et les soumet à un collège de juges qui décide d'interdire la franc-maçonnerie. Pourquoi ? A cause des secrets, et du rapprochement de gens de toutes religions, de toutes conditions et de toutes nationalités. Mais l'interdiction n'est pas appliquée sévèrement. Aux

Pays-Bas, à la même époque, la population crie haro sur les francs-maçons ; à Amsterdam, elle met à sac la loge de sa ville, entraînant les autorités à interdire la maçonnerie dans tout le pays jusque vers 1744. Quant aux loges portugaises, elles doivent faire face aux derniers assauts d'une Inquisition moribonde. Une loge de catholiques irlandais est fermée, et le maître d'un autre atelier, John

Coustos, un protestant, est arrêté en 1743, torturé, condamné aux galères, puis libéré en 1744 suite à une intervention diplomatique. En Espagne, l'Inquisition engage des procès contre les maçons qui, pour être libérés, doivent promettre de ne plus se réunir. On se prend aujourd'hui à réfléchir sur sa propension à faire ainsi l'objet de critiques. Son caractère secret y est pour beaucoup et le pouvoir voit d'un mauvais œil ces gens qui se réunissent,

En 1746, le frère John Coustos publia le récit de son expérience de victime de l'Inquisition (ci-dessus). En 1753, cet ouvrage fut traduit en français sous le titre *Procédures curieuses de l'Inquisition du Portugal contre les francs-maçons*. L'antimaçonnisme prit des allures moins tragiques en Angleterre, où il s'exprima surtout par la caricature, et ce dès le XVIIIe siècle, comme en témoigne (ci-contre) cette parodie d'initiation.

sans savoir ce qui se trame dans les loges. A cela s'ajoute l'opposition de l'Eglise catholique.

Condamnations catholiques

En Italie, la répression antimaçonnique prend des formes diverses selon les Etats. Mais dès 1738 le pape Clément XII excommunie les maçons, notamment parce que leurs réunions sont considérées comme illégales par plusieurs pays, et, dans une moindre mesure, pour des motifs religieux. Le fait que des catholiques et «des hommes de toute religion et de toute secte» se réunissent dans les loges suffit à considérer les premiers comme «fortement suspects d'hérésie». A fréquenter des protestants, voire des juifs, un catholique risque, aux yeux du pape, d'altérer sa foi. Qui plus est, s'il est lié par le secret, et par son corollaire. le serment, n'est-ce pas

Crime puni.

Le Ciel nous juge.

Sa punition est certaine

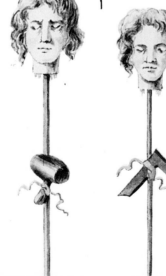

« Condamnation de la société ou des conventicules vulgairement appelés *liberi muratori* ou francs massons, sous peine d'excommunication encourue par le fait même, dont l'absolution, sauf à l'article de la mort, est réservée au Souverain Pontife.» Clément VII a suivi l'exemple des autres souverains d'Europe qui interdisaient la maçonnerie. Cette gravure (ci-contre) illustre le châtiment des assassins d'Hiram et les outils dont ils se sont servis pour tuer le maître : niveau, maillet, équerre. Preuve que la Révolution et son usage de la guillotine avaient marqué les frères au point d'influencer leurs représentations.

nécessairement pour camoufler des attitudes immorales et répréhensibles ? En 1751, Benoît XIV confirme la condamnation de son prédécesseur. En France, les effets des bulles d'excommunication ne se font pas sentir directement. C'est qu'au XVIIIᵉ siècle, et jusqu'au Concordat de 1801, tout acte pontifical devait avoir été enregistré par le Parlement pour avoir force de loi. Jamais promulguées par le Parlement, les deux bulles laissent indifférents les catholiques et le clergé, entrés en nombre dans les loges…

Les francs-maçons, instigateurs de la Révolution ?

La Révolution de 1789 sonne le glas de l'Ancien Régime, mais non celui de la maçonnerie. Le thème du complot maçonnique contre le trône et l'autel a toujours fait florès chez les antimaçons qui, principalement depuis les *Mémoires pour servir à l'histoire du jacobinisme* de l'abbé Augustin Barruel (1797), restent persuadés que la Révolution est fille de la maçonnerie française. Rien n'est plus faux. Aux états généraux, les députés maçons sont issus des trois états et sont divisés : les uns se prononcent pour des mesures révolutionnaires, d'autres sont des réformateurs modérés, d'autres encore veulent le maintien de l'Ancien Régime. Il n'y a pas d'unanimité, ni d'action concertée, ni même de mot d'ordre d'une obédience. La même hétérogénéité se dessine pendant et après la Révolution. Dans les loges

C'est sur fond de temple maçonnique que se réalise ici, sur ce tableau de Nicolas Perseval, l'union des trois ordres : noblesse, clergé et tiers état. Dans ce contexte du début de la Révolution, la franc-maçonnerie est présentée comme un mouvement fédérateur et égalitaire.

du Midi, à Toulouse par exemple, beaucoup de frères
jacobins n'ont pas à souffrir de la Terreur, cependant
que dans d'autres régions des maçons s'affichent
comme contre-révolutionnaires. Ils doivent émigrer
ou… tomber sous la répression : les loges de l'Ouest
sont un vivier de chouans, on compte même deux
prêtres réfractaires guillotinés pour leur idéal. Sous le
gouvernement révolutionnaire, l'immense majorité
des loges est en sommeil : au sortir de ce temps
d'inactivité, elles peuvent répandre les idéaux de
liberté, d'égalité et de fraternité. Les loges du siècle
des Lumières étaient déjà des cercles assez fermés,

Une femme de chambre désireuse de percer les secrets de la maçonnerie passe à travers le plafond d'une loge, dévoilant du même coup ses propres secrets aux frères ébahis. Un exemple de satire anglaise qui évoque le caractère à la fois sexiste et élitiste des loges. Très tôt apparurent les chants maçonniques, composés pour les réunions mais aussi pour les banquets de loge. Anderson en reproduisait déjà dans ses *Constitutions*.

recrutant surtout parmi les classes sociales aisées.
Elles pratiquaient des rites d'initiation, autour des
trois premiers degrés (apprenti, compagnon, maître)
d'abord, puis dans une suite de «hauts grades» aux
noms parfois folkloriques. Les maçons se montraient
soucieux du respect de la morale et animés du désir
de rencontrer l'autre, quelque différent qu'il fût.
Mystiques ou jouisseurs débonnaires, ils offraient
de la maçonnerie l'image d'une société pluraliste,
et tolérante, dans les limites de l'esprit du temps…
On se retrouvait entre hommes pour parler, boire et
manger. A l'issue d'un banquet, poèmes et chansons
maçonniques entretenaient la flamme d'une
convivialité nouvelle. Et pour ne pas laisser leurs
dames en reste, ces messieurs créaient des «loges
d'adoption», simulacres de maçonnerie servant de
prétexte à une rencontre des épouses, des filles ou
des sœurs. Il ne s'agissait que d'une para-maçonnerie,

Free Mason's Health

e Brothers that are met together on merry Occa sion, Lets

surtout fréquentée par les dames de la haute noblesse qui se réunissaient pour calquer les cérémonies des messieurs. Avec leurs loges, leurs obédiences, leurs convents (réunions annuelles des délégués des loges), les maçons des Lumières avaient jeté les bases institutionnelles d'une sociabilité démocratique. Au XIXe siècle, les débats d'idées vont se radicaliser. L'avènement de la libre pensée et de la laïcité inaugurera l'ère des scissions retentissantes. La franc-maçonnerie va s'affranchir de ses liens religieux.

Hand in hand Teach ot...

& put a bright Face on. —

can boast So noble a Toast,

or an Accepted Mason.

"Ils se donnent la main et se soutiennent les uns les autres. Soyons joyeux et affichons un gai visage. Quel mortel peut se vanter d'être aussi noble qu'un maçon libre et accepté ?**"**
«La Santé des francs-maçons», 1722

L'art des tabliers

Une unité thématique et stylistique se dégage de ces tabliers anglais. Composé d'un rectangle et d'une bavette, le tablier symbolise le travail maçonnique. L'œil divin est omniprésent et domine les compositions. Les trois grandes lumières qui doivent éclairer le maçon sont la Bible, l'équerre et le compas. Les deux colonnes J et B (initiales des noms bibliques Jakin et Boaz) sont celles du temple de Salomon. L'échelle de Jacob à trois degrés symbolise les trois vertus : foi, espérance et charité. Elle peut contenir plus d'échelons et revêtir d'autres significations. Les sept étoiles évoquent les sept jours de la création, ou bien les sept maçons qui doivent être présents pour qu'une loge soit «juste et parfaite». Le caducée, attribut d'Hermès ou de Mercure, véhicule un symbolisme alchimique. Les clefs ouvrent les portes de la connaissance et gardent les secrets de la maçonnerie. Quant au buisson ardent, à l'instar de l'œil, il symbolise la présence de Dieu.

53

Pour la franc-maçonnerie, le XIXᵉ siècle ouvrait l'ère de toutes les scissions, des querelles et des persécutions, mais aussi celle de tous les espoirs et d'une formidable expansion. C'est une société qui a déjà fait beaucoup parler d'elle et qui va être amenée à avoir un rôle grandissant dans le cadre de la République.

CHAPITRE III
UNE FRATERNITÉ ENGAGÉE

Le pasteur, sénateur et grand maître du Grand Orient de France Frédéric Desmons (à gauche, en 1904) en conversation avec son ami Louis Lafferre, ministre, qui sera aussi grand maître du Grand Orient. C'est Desmons qui a provoqué la rupture de 1877 entre le Grand Orient et la Grande Loge Unie d'Angleterre, avec la suppression de l'obligation de croire en Dieu. Ci-contre, le tablier de Joseph Bonaparte, initié à l'âge de dix-sept ans à Toulon.

Après Thermidor, les ateliers se reconstruisent lentement et peuvent répandre les idéaux de liberté, d'égalité et de fraternité. Roettiers de Montaleau, élu grand maître du Grand Orient de France en 1795, remet l'obédience sur pied.

Une maçonnerie bourgeoise

Dès la fin du Directoire, pendant le Consulat puis sous l'Empire, la maçonnerie française connaît une période d'expansion. Suite à la signature du Concordat par Napoléon et Pie VII en 1801, les deux premiers actes pontificaux condamnant la franc-maçonnerie (en 1738 et en 1751) sont appliqués sur tout le territoire français. Les maçons catholiques, et davantage le clergé – venu en nombre fréquenter

Roettiers de Montaleau (ci-dessus) fut, de 1804 à 1808, le bras droit du grand maître Joseph Bonaparte. A cette époque, les frères du Grand Orient – Cambacérès, Fouché, Choiseul et bien d'autres – travaillaient à la gloire du Grand Architecte... aussi bien qu'à celle de Napoléon !

A LA GLOIRE DU G∴ A∴ DE L'UNIV∴

AU NOM ET SOUS LES AUSPICES

DE S. A. I. LE PRINCE JOSEPH, GRAND-MAITRE.

LE G∴ O∴ DE FRANCE.

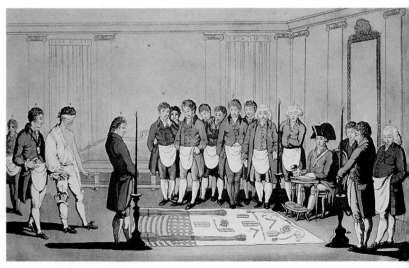

les ateliers maçonniques au siècle
dernier – désertent progressivement
les loges au cours de la première
moitié du XIXe siècle.

Napoléon a besoin de la franc-
maçonnerie : elle peut l'aider à
appuyer son régime, à diffuser un
esprit loyaliste, surtout lorsque son
frère Joseph est placé à la tête du
Grand Orient de France en 1805
et que des maréchaux d'Empire,
des hauts fonctionnaires et des
officiers en font partie! A partir
de 1815, les maçons doivent bien
s'adapter à la monarchie. Mais
si Louis XVIII fait preuve de
bienveillance à leur égard,
Charles X, au contraire, engage
des surveillances policières. Est-ce
un hasard s'il favorise dans le
même temps l'Eglise catholique?

Bourgeoise, libérale, chrétienne et
déiste, la maçonnerie française, jusque
vers 1860, n'est guère agitée par les
questions sociales et religieuses. Dans
son ensemble, c'est une institution assez
conformiste que fréquentent rarement les
socialistes. Lorsque, en 1849, le Grand Orient
se donne pour la première fois de véritables
constitutions, il édicte : «La franc-maçonnerie,
institution essentiellement philanthropique,
philosophique et progressive, a pour base l'existence
de Dieu et l'immortalité de l'âme ; elle a pour objet
l'exercice de la bienfaisance, l'étude de la morale
universelle, des sciences, des arts et la pratique de
toutes les vertus ; sa devise a été de tout temps :
liberté, égalité, fraternité.»

Maçonnerie et laïcité

A partir des années 1860, les manifestations
d'anticléricalisme se font de plus en plus marquées
et un nombre toujours plus grand de frères affichent
leurs convictions positivistes et laïques, voire

A partir du XVIIIe siècle, la plupart des loges (ici, la loge parisienne La Prévoyance, créée en 1843) ont leur bannière, destinée à les représenter lors des réunions. Bien que cet usage soit tombé en désuétude aujourd'hui, beaucoup de pièces ont été conservées. Réalisées en soie, en velours, ou en toile, les bannières font figurer le nom de la loge, l'année de sa création, sa devise parfois, et divers symboles.

Le processus initiatique marque l'entrée dans la maçonnerie, ainsi que les «augmentations de salaire», c'est-à-dire les passages d'un degré à l'autre. Bien que la cérémonie varie selon les rites, elle comporte des invariants : le serment, la communication des secrets et la remise du tablier. La maçonnerie anglo-saxonne s'articule surtout autour de ces trois moments alors que la maçonnerie française et continentale a ajouté des épreuves : le candidat doit effectuer des «voyages» autour de la loge, des déplacements selon des pas précis. On lui donne à boire le calice d'amertume. Puis viennent les épreuves de purification par les éléments. Pour l'épreuve de la terre, le candidat est invité à méditer certains symboles dans le cabinet de réflexion. Suivent l'épreuve de l'eau, et celle du feu, avec une torche que l'on approche de son visage. Quant à l'épreuve de l'air, elle consiste à faire appréhender au candidat la sensation du vide. Bien des variantes ont existé, donnant lieu à des mises en scènes plus ou moins folkloriques. Aujourd'hui, quand ces épreuves subsistent, elles sont plus sobres.

scientistes. En 1865, les nouvelles constitutions du Grand Orient proclament sans ambages que la maçonnerie «regarde la liberté de conscience comme un droit propre à chaque homme et n'exclut personne pour ses croyances». Fort bien, mais les mêmes constitutions évoquent toujours un principe de base, intangible pour peu de temps encore : l'existence de Dieu. C'est le détonateur. Maçons déistes et positivistes s'affrontent dans la «querelle du Grand Architecte de l'Univers» jusqu'à la victoire des seconds en 1877, lorsqu'est supprimée des constitutions l'obligation de croire en Dieu et en l'immortalité. Du coup, l'invocation au Grand Architecte de l'Univers disparaît de maints rituels. Significative aussi de l'évolution des esprits, la création, en 1866, de la Ligue française de l'Enseignement. Son fondateur, le frère Jean Macé, revendique l'instruction obligatoire, gratuite et laïque et suscite d'emblée l'opposition cléricale qui voit dans la Ligue un dangereux concurrent pour le réseau des écoles congréganistes. Les loges soutiennent la Ligue, certaines y adhèrent. L'anticléricalisme est un leitmotiv mais aussi le scientisme : grâce à la science et à l'instruction, les préjugés religieux tomberont d'eux-mêmes et n'entraveront plus le progrès de l'humanité…

Suite à la défaite de Napoléon III, la IIIᵉ République est proclamée en septembre 1870. Quelques mois plus tard éclate l'épisode de la Commune de Paris. Elle confisque les biens de l'Eglise, ferme les lieux de culte, prend des religieux en otages. Le Conseil de la Commune compte seize maçons sur les quelque soixante-dix élus. Doit-on attribuer la paternité de l'anticléricalisme de la Commune aux francs-maçons ? En réalité, certains frères participent activement à

G rand maître du Grand Orient de 1852 à 1861, le prince Lucien Murat, cousin de Napoléon III, décida en 1852 d'acquérir un bâtiment pour abriter le siège de l'obédience. Il choisit l'hôtel du maréchal de Richelieu, situé au 16 rue Cadet à Paris (à gauche), et qui est encore aujourd'hui le siège du G.O.F. Le 29 avril 1870, des milliers de maçons défilent dans les rues de Paris, escortés par une délégation de la Commune. Après avoir été reçus par les élus à l'Hôtel de Ville, ils gagnent les barricades où ils plantent leurs bannières. On raconte que les assiégeants auraient cessé le feu.

l'insurrection et à l'anticléricalisme. D'autres prônent la pacification. Reste l'image des bannières maçonniques plantées sur les barricades. Même s'il se trouve beaucoup de maçons parmi les Communards, pas plus que la Révolution la Commune n'est fille des maçons !

L'Eglise de la République

Sous la IIIe République, les maçons français se perdent dans un maelström d'engagements politiques et risquent d'entraîner dans leur chute leur institution devenue si puissante.

Ils s'engagent dans le combat républicain et ils sont anticléricaux.

Hautement symptomatiques, à cet égard, sont les initiations, en 1875, du lexicographe Emile Littré et du futur ministre de l'Instruction publique, Jules Ferry. Si le premier est un agnostique tranquille, le second souscrit à la philosophie positiviste d'Auguste Comte pour qui la société doit parvenir à un stade scientifique, étape ultime de toute évolution, une fois le stade théologique et religieux dépassé. Ferry devient ministre en 1879 et fait adopter ses fameuses lois scolaires... et laïques : des religieux sont expulsés de France, des couvents sont fermés par dizaines, les évêques sont exclus du Conseil supérieur de l'Université. En 1881, alors que les écoles des congrégations sont toujours payantes, l'enseignement primaire public devient gratuit et, un an plus tard, on retire les crucifix de toutes les écoles primaires, devenues laïques. Lorsque Emile Combes succède à Waldeck-Rousseau à la présidence du Conseil en 1902, l'anticléricalisme est à son acmé et le Grand Orient de France constitue désormais une puissante organisation politique s'identifiant presque à l'Etat. En 1894, le frère Gadaud, ministre du Commerce, ne s'exclame-t-il pas : «La franc-maçonnerie est la République à couvert. La République est la franc-maçonnerie à découvert»? La franc-maçonnerie laïque est au pouvoir et le pouvoir promulgue la loi de 1901 sur les associations, qui édicte que les congrégations ne peuvent se former sans l'autorisation de l'Etat. C'est presque un sophisme, car aucune autorisation n'est accordée. Résultat : plus de quatorze mille écoles fermées et vingt mille

A l'anticléricalisme des maçons répond l'antimaçonnisme des catholiques. Cette carte postale fut éditée après la séparation de l'Eglise et de l'Etat : «Le supplice de la roue, invention ministérielle combiste». Coiffé du compas et de l'équerre, Combes mange du curé. Autour de lui, le général André, impliqué dans l'affaire des fiches, Jean Jaurès et le président de la République Emile Loubet qui gracia Dreyfus et mena une politique anticléricale. Combes est ici manipulé par ces derniers.

religieux expulsés. En 1904, le gouvernement rompt ses relations avec le Saint-Siège et, fin 1905, la loi instituant la séparation de l'Eglise et de l'Etat est votée. A ce moment, le Grand Orient compte plus de trente mille membres et soutient le parti radical. Si l'obédience ne gouverne pas le pays, à tout le moins peut-on dire qu'elle participe au pouvoir avec beaucoup d'influence. Beaucoup de députés, de sénateurs, de ministres, sont maçons. Le Grand Orient aide le Parti radical dans sa conquête du pouvoir. Il constitue en outre un lieu de réflexion politique, au point que des problèmes discutés et adoptés dans les convents se retrouvent dans les congrès radicaux (le monopole de l'enseignement, en 1904, par exemple). Dans ce contexte de collusion extrême éclate l'affaire des fiches, ou le scandale de l'épuration des cadres de l'armée française voulue par les francs-maçons : un frère, le général André, est ministre de la Guerre et le Grand Orient le renseigne, par l'envoi de «fiches» sur

Les maçons français ont longtemps revendiqué la responsabilité des révolutions et des grandes réformes, comme en témoigne ce convent du Grand Orient, auquel furent conviées des obédiences étrangères, réuni en 1889 pour le centenaire de la Révolution.

Un argument frappant

Une des retombées de l'affaire des fiches fut l'affaire Syveton. Le 4 novembre 1904, en pleine séance à la Chambre, ce député nationaliste gifle le général André. Condamné à comparaître aux assises le 19 décembre, Syveton meurt la veille chez lui. Suicide, meurtre commis par son épouse, complot politique ? L'affaire fait la une des journaux. Pour la presse de droite, il ne fait aucun doute qu'il s'agit d'un assassinat maçonnique...

les opinions politiques et religieuses des officiers. Fort de ces documents signalétiques, le ministre n'hésite pas à écarter de l'avancement et des nominations importantes les officiers catholiques ou libéraux au profit des républicains. On s'en doute, l'affaire fait grand bruit, et les choux gras d'un antimaçonnisme haineux. Elle entraîne la chute du gouvernement Combes.

Les loges, laboratoires du progrès social

A partir de 1910 jusqu'à la fin de la IIIᵉ République, les loges sont des laboratoires d'idées où l'on s'efforce de changer la société. Beaucoup de théories forgées dans les ateliers puis adoptées par les convents sont portées sur le devant de la scène politique sous forme de projets de loi, qui ne sont pas adoptés (par exemple l'abolition de la peine de mort et le divorce par consentement mutuel) ou qui subissent nombre d'adaptations. Qu'à cela ne tienne, les sphères de réflexion et d'activité sont légion. Au premier chef, la promotion de la laïcité, dans tous les secteurs de la société, surtout

Hôpital Militaire des Ménages

Menu

Hors d'oeuvre

Truite sauce Vincent

Filet rôti
Croquettes Duchesse

Coeurs de laitues

Petites marmites glacées

Fromages

Fruits

5 Septembre 1910

Mᵉ Goulley

20 centimes. – PREMIERE EDITION DE PARIS — 2e ANNEE — N° 439. Mardi 13 Mai 1924

Le Quotidien

Créé par plus de 40.000 Français et Françaises associés pour défendre et perfectionner les institutions républicaines

VAINQUEURS, PRENEZ DES GARANTIES !

[M]illerand doit, comme Poincaré, se démettre

[N]OS CONDITIONS

Le Bloc des Gauches possède la majorité absolue dans la Chambre nouvelle

Conservateurs	15	211
Bloc National	184	
Républicains renégats	12	
Républicains nuance Briand		44
Républicains de gauche, radicaux-socialistes, soc. ind., élus sur des listes de Cartel ou sur de pures listes Herriot	183	289
S. F. I. O. et soc. communistes	106	
Communistes		25

Quand M. Poincaré démissionnera-t-il ?

Les partis du Bloc National : 194 sièges

dans l'enseignement. Puis les questions sociales et éthiques : repos hebdomadaire, semaine de quarante heures, droit à la contraception, l'avortement, etc. Enfin des actions politiques : le Grand Orient soude le Cartel des Gauches en 1924 en s'opposant à la politique économique du bloc national et en réunissant les maçons socialistes et radicaux-socialistes autour de projets discutés en loge. Le Grand Orient soude le Front populaire en 1936 ; il s'efforce aussi de réformer la Société des Nations, une fondation largement maçonnique... On est loin de la période de collusion totale entre la maçonnerie et le pouvoir, comme au début du siècle. Gaston Doumergue accède à la présidence de la République (1924-1931) alors qu'il ne fréquente plus les ateliers, et Paul Doumer, président de la République également, n'est plus maçon. Mais la maçonnerie n'est plus le «parti républicain à couvert». Son rôle politique diminue sensiblement. Le régime républicain n'est plus menacé et du coup disparaît un combat politique qui était devenu sa nature seconde.

Dès 1918, le Grand Orient avait construit un programme pour les partis de gauche, fondé sur la laïcité. Les maçons prennent en main la préparation des élections de 1924. En 1923, le maçon Debierre, sénateur et président du Parti radical-socialiste, rapproche les forces de gauche dans la Ligue républicaine, et le Grand Orient vote un «Appel à l'union des partis de gauche».

PRENEZ GARDE !...

Gare à vos Eglises !

Réactions maçonniques

Face au scientisme et au laïcisme triomphants, au caractère politique et militant d'une certaine maçonnerie, des frères sonnent le tocsin : leur ordre serait-il en train de perdre son âme ? Suite à la révision des rituels du Grand Orient dans un sens rationaliste et positiviste, Oswald Wirth (1860-1943) quitte sa loge pour gagner un atelier de la Grande Loge, estimant que la plus importante obédience française est coupable de déviations qui font que ses loges n'ont plus

L'antimaçonnisme catholique eut recours à la caricature et développa une littérature qui, avec beaucoup de liberté, se faisait l'écho des condamnations papales. En réalité, l'Eglise se révoltait contre la baisse de son influence dont elle rendait la maçonnerie responsable. Ce fut le choc de deux idéologies dans lesquelles les visées politiques n'étaient pas absentes.

rien de maçonnique. Ecrivain français fécond, Wirth veut réhabiliter le symbole et le rituel dans les tenues de loge. Surtout, l'œuvre d'un autre maçon, René Guénon (1886-1951), apparaît comme une réaction d'envergure contre la dépréciation de la valeur initiatique et ésotérique de la franc-maçonnerie. Marqués à la fois par la franc-maçonnerie, l'hindouisme et l'islam, les travaux de Guénon gardent un extraordinaire retentissement, même s'il ne fréquente guère les ateliers maçonniques…

D'après cette caricature, la Déclaration des droits de l'homme n'est que l'envers des privilèges que s'octroie la judéo-maçonnerie. Dès le début du XIXᵉ siècle, le complot maçonnique est l'obsession de certains anti-républicains. D'après eux, la Révolution, qui a émancipé les Juifs, a été concoctée dans les loges ; donc, la judéo-maçonnerie existe. Surprenant syllogisme qui veut faire accroire que les Juifs cherchent à dominer le monde et à écraser le christianisme.

L'antimaçonnisme catholique

Dès le début du XIXᵉ siècle, à la suite de Barruel, le complot maçonnique est associé au complot juif par

NOS BONS FRANCS-MAÇONS

ceux qui cherchent des causes simples et un bouc émissaire à la Révolution de 1789. Pour eux, le complot judéo-maçonnique est une évidence : si la Révolution a émancipé les Juifs, c'est parce qu'elle a été tramée dans les loges… Tout au long du XIXᵉ siècle, l'antimaçonnisme catholique est virulent. Encouragé par les condamnations récurrentes fulminées par les papes, il culmine à la fin du siècle. Dans une dizaine d'actes officiels, les pontifes romains dénoncent pêle-mêle l'athéisme, le secret et la clandestinité, le caractère révolutionnaire et immoral des loges maçonniques. En 1821, Pie VII s'en prend aux *carbonari* (membres de la charbonnerie, société politique secrète et révolutionnaire), qu'il assimile aux francs-maçons. Léon XII condamne tous les membres des sociétés secrètes en 1825, Pie VIII récidive quatre ans plus tard, puis Grégoire XVI en 1832 et Pie IX à plusieurs reprises. En 1884 enfin, Léon XIII promulgue son encyclique *Humanum genus* dans laquelle il stigmatise l'attitude des maçons qui veulent «écarter Dieu et l'Eglise des affaires de ce monde». Ces condamnations introduisent aussi un thème que les antimaçons amplifieront jusqu'à la paranoïa : le thème diabolique et luciférien.

Léo Taxil, un faussaire

Tout cela engendre une littérature consternante et des articles feuilletonesques dans la presse conservatrice : tissu d'affabulations provoqué aussi par le cléricalisme et par la peur de voir l'influence de l'Eglise diminuer. Un journaliste sait exploiter habilement le thème luciférien : Gabriel Jogand-Pagès, dit Léo Taxil, est l'auteur d'une énorme mystification. Franc-maçon anticlérical, il publie des factums contre l'Eglise et son clergé, qui, de bonne guerre, mettent ses ouvrages à l'index. Mais en 1885, proche de la faillite, Taxil est contraint de fermer sa maison d'édition. C'est le moment qu'il choisit pour se convertir au catholicisme et pour commencer la publication de «révélations» sur la franc-maçonnerie. C'est un succès commercial immédiat, qu'il faut alimenter par la surenchère : le diable qui préside les tenues de loge, les messes noires, les orgies, etc. Le monde catholique soutient Taxil, qui en 1894 est reçu en audience privée par Léon XIII. Coup de théâtre en 1897, quand l'écrivain annonce que ses révélations ne sont qu'un canular !

Taxil (à gauche) est le spécialiste des mystifications lucratives. Avant de sombrer dans l'antimaçonnisme, un de ses filons fut l'anticléricalisme. Les titres de ses ouvrages sont éloquents : *A bas les curés!*, *Les Crimes du haut clergé contemporain*, *Les Soutanes grotesques*, *Le Fils du jésuite*. En 1885, il se convertit au catholicisme et publie *Les Frères Trois-Points*, le premier d'une longue série de livres antimaçonniques. Ses disciples seront nombreux : le Dr Bataille, auteur de *La Franc-Maçonnerie luciférienne*, Jules Doinel et son *Lucifer démasqué*, Mgr Fava, évêque de Grenoble, etc.

Malgré le discrédit qui frappe depuis longtemps les livres de Taxil, son influence demeure perceptible dans la survivance de certains fantasmes, toujours vivants au sein de minorités catholiques intégristes ou dans les cercles d'extrême droite : crimes, messes noires, présence du diable dans les loges, profanations d'hosties, assassinats d'enfants.

Franc-maçonnerie et «establishment»

En Grande-Bretagne, le XIXe siècle maçonnique
s'écoule beaucoup plus paisiblement qu'en France.
Faut-il y voir la marque du flegme britannique, à cent
lieues de l'emportement latin? Pas seulement. En
Grande-Bretagne, franc-maçonnerie et religion font
bon ménage. Des membres de l'épiscopat et du clergé

Les francs-maçons de la Grande Loge Unie d'Angleterre organisent (ci-dessous) une fête pour les jeunes filles de leur orphelinat. C'est en 1788 que le chevalier Ruspini fonde une école, devenue aujourd'hui

de l'Eglise anglicane sont maçons. En 1813, la Grande
Loge d'Angleterre prend le nom de Grande Loge Unie
d'Angleterre, suite à la réconciliation des anciens et
des modernes. Le duc de Sussex devient le premier
grand maître de l'obédience, et ce sont toujours des
membres de la famille royale ou de la haute noblesse
qui lui succèdent, comme, en 1874, le prince de
Galles, futur roi d'Angleterre Edouard VII. C'est dire
si la maçonnerie anglo-saxonne fait partie de
l'*establishment*. Depuis le XIXe siècle, elle compte
parmi ses membres, outre le clergé, des militaires, des
hommes d'affaires, des nobles, des diplomates, des

l'Ecole maçonnique royale pour filles. Au XIXe siècle, les maçons anglais font œuvre de philanthropie et ne s'en cachent pas. Ainsi les voit-on poser la première pierre d'un hôpital ou d'un pont, assister à la consécration d'une église protestante, ou organiser des spectacles de théâtre pour récolter des fonds.

professions libérales. Sa réputation de mérite social se justifie par l'intense activité philanthropique des frères : création d'écoles, d'hôpitaux, d'organismes d'entraide. Le tout sur fond de croyance au Grand Architecte de l'Univers et en sa volonté révélée.

Les frères d'Europe

Dans le reste de l'Europe, la maçonnerie se développe avec plus ou moins de bonheur sur un terrain souvent hasardeux. Placée sous les auspices du roi Léopold Ier, dont beaucoup pensent qu'il a été initié à Berne en 1813, la maçonnerie belge vit dans une relative quiétude, jusqu'à ce qu'elle soit condamnée par les évêques du pays en 1837. S'ensuit une succession de déclarations et d'événements bellicistes qui fait se dresser une maçonnerie fortement anticléricale contre une Eglise catholique conservatrice, certainement jusqu'à la Seconde Guerre mondiale. Longtemps la rivalité entre l'Université libre de Bruxelles, une fondation maçonnique, et l'Université catholique de Louvain symbolisa cette

" Qu'il soit connu de tout homme que le contrat d'union entre les deux grandes loges [...] d'Angleterre est maintenant et solennellement signé, [...] et que les deux fraternités sont devenues une et désormais seront connues sous le titre de la Grande Loge Unie des Francs-Maçons Anciens et Acceptés d'Angleterre et que le Grand Architecte de l'Univers fasse éternellement leur union». Ci-dessous, le prince de Galles et son fils en 1888.

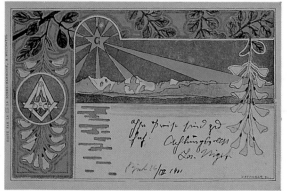

Lors de la création en 1844 de la Grande Loge Suisse Alpina (ci-contre une carte maçonnique suisse), le frère Jonas Furrer de Winterthur prononce un discours officiel. C'est lui qui, quatre ans plus tard, lors de l'adoption de la première constitution de la Confédération helvétique, deviendra le président du gouvernement. La maçonnerie suisse se marquait alors par une orientation politique radicale. C'est aujourd'hui la seule obédience suisse reconnue par Londres. Ci-dessous, Garibaldi, qui fut initié en 1844 à Montevideo, dans une loge qui n'était reconnue par aucune obédience mais qui fréquenta la loge Les Amis de la Patrie, du Grand Orient de France.

opposition. Si, pour ce qui regarde la Suisse, il faut évoquer la création en 1844 de la Grande Loge Suisse Alpina, l'épisode du colonel Fonjallaz, admirateur de Hitler et de Mussolini, doit être rapporté : en 1937, il veut interdire l'ordre maçonnique avec le soutien de cinquante-sept mille signatures mais, lors d'un référendum, la population le désavoue largement ! En Allemagne, hormis sous la période hitlérienne, les obédiences se multiplient sans rencontrer d'obstacles majeurs tandis qu'en Autriche elles ne sont autorisées qu'à l'instauration de la République, en 1919.

Quant à la maçonnerie italienne du XIXe siècle, elle est particulièrement active dans le processus de l'unification du pays, le Risorgimento, et du même coup menaçante pour l'intégrité des Etats pontificaux. D'où, dans ce pays aussi, l'éternel conflit entre le goupillon et l'équerre associée au compas… Vient se greffer là-dessus la question de la charbonnerie ou du carbonarisme, une société politique secrète et révolutionnaire qui se développe dans le royaume de Naples dès 1821, et dont deux maçons célèbres sont membres très actifs : Garibaldi et Mazzini, par ailleurs anticléricaux farouches.

En Espagne et au Portugal, à partir du XIXe siècle, les maçons ont une forte propension à l'anticléricalisme et au combat laïc, mais ils doivent souvent se réunir en secret.

Dans l'empire de Russie, l'interdiction définitive de la maçonnerie date de 1821 (un oukase du tsar Alexandre Ier) et non de 1917, quand les communistes prennent le pouvoir. En Pologne et en Hongrie, ainsi qu'en Tchécoslovaquie, la franc-maçonnerie doit subir plusieurs périodes d'interdiction tout au long du XIXe siècle. Bref, le bilan européen est assez négatif par rapport au XVIIIe siècle.

La maçonnerie du Nouveau Monde

Pour la maçonnerie des Etats-Unis, le XIXe siècle est une période d'expansion : à l'aube du XXe siècle, elle est présente dans tous les Etats. Mais, jusque vers 1850, le recrutement est freiné par des campagnes antimaçonniques. Et par une affaire de plus : l'affaire Morgan, du nom d'un frère qui publie un violent réquisitoire contre la maçonnerie. Imprimeur de son état, il est mis à l'écart de sa loge. Mais un jour son imprimerie prend feu. Criblé de dettes, Morgan est emprisonné et on ne le revoit plus jamais... Pour la rumeur publique, il ne fait aucun doute que ses frères l'ont enlevé pour l'assassiner ! Malgré ce discrédit, une quinzaine de présidents des Etats-Unis sont des francs-

L'affaire Morgan a déclenché un raz-de-marée dans les Eglises baptistes américaines, qui poussaient fidèles et pasteurs maçons à renoncer à leur affiliation. En 1828 fut créé un parti politique antimaçonnique. Les publications contre les maçons prolifèrent alors, comme cet almanach édité à Boston en 1835.

Aux Etats-Unis, on ne se cache pas d'être maçon et les temples ont pignon sur rue, comme celui de Quincy (ci-contre), dans le Massachusetts.

maçons, parmi lesquels les deux Roosevelt, les deux Johnson et Truman.

Dans la plupart des pays d'Amérique centrale, les loges ne s'implantent qu'à partir de 1850. Dans beaucoup de pays d'Amérique latine, les maçons combattent avec vigueur l'Eglise catholique et son clergé : au Brésil, au Pérou, au Venezuela, en Colombie, en Argentine et surtout au Mexique, où nombre de présidents du pays sont maçons, comme Benito Juarez. Dans ces régions, les frères sont nombreux à combattre pour l'indépendance de leur pays et les *libertadores* les plus célèbres sont des initiés : Simon Bolivar au premier chef, libérateur du Venezuela, de la Colombie et de la Bolivie, et aussi le général Colombien Mosquera, San Martin, libérateur du Chili et du Pérou, José Marti à Cuba, José Rizal aux Philippines, etc.

Ailleurs dans le monde

Dans les départements français d'outre-mer (Antilles, Réunion, Guyanne, etc.), les ateliers maçonniques se multiplient. Victor Schoelcher, un maçon

L'émir algérien Abd el-Kader fut un musulman convaincu. Cela ne l'empêcha pas d'intervenir en faveur des chrétiens de Syrie lors des massacres de 1860, ce qui lui valut d'être fait Grand-Croix de la Légion d'honneur et d'être invité par la loge parisienne Henri IV à demander son entrée dans la maçonnerie. Il fut initié en 1864 dans la loge Les Pyramides à Alexandrie. Il confia un jour que la maçonnerie était «la plus admirable institution de la terre».

qui fut sous-secrétaire d'Etat à la Marine, obtint, en 1848, l'abolition de l'esclavage et l'interdiction des châtiments corporels, fréquents sur les navires. D'origine européenne, la *farmassouniya* (francmaçonnerie en arabe) en terre d'islam se développe au XIXe siècle en Syrie, en Turquie, en Tunisie, en Algérie, en Egypte, en Grèce et à Jérusalem.

Pour conclure ce panorama du XIXe siècle, il faut

Les premières traces d'une implantation maçonnique au Maroc remontent aux années 1860, lorsque les Anglais, les Espagnols et les Français installent leurs ateliers. A Tanger (ci-dessous), les loges ont contribué à européaniser la société.

insister sur l'éclatement et la multiplication des obédiences que connut alors la maçonnerie. Les dissensions portèrent principalement sur la régularité des loges en regard de l'obligation de la croyance en Dieu. Il s'ensuivit une concurrence entre les deux grands blocs – réguliers et non réguliers – pour implanter leurs obédiences, dont l'issue sera une implantation majoritaire des loges régulières à travers le monde. Surtout, on assiste à la naissance d'un phénomène qui sera déterminant pour la maçonnerie du XXe siècle : la création à Paris en 1893 d'un ordre maçonnique mixte international, baptisé Le Droit humain, fondé par Maria Deraismes et Georges Martin. Il y a enfin place pour de véritables maçonnes.

Maria Deraismes (1828-1894) est la cofondatrice en 1893 de l'Ordre maçonnique mixte international Le Droit humain. Militante féministe, libre penseuse et républicaine, elle a forcé la porte du temple en se faisant initier en 1882. En fondant une obédience mixte, elle s'est opposée aux obédiences masculines. Toutefois, en 1921, le Grand Orient de France a reconnu cette obédience sœur.

Le rite écossais

Composé de trente-trois grades, le Rite Ecossais Ancien et Accepté, toujours pratiqué aujourd'hui, est apparu en France au début du XVIIIe siècle. Les trois premiers degrés, communs à tous les rites, sont ceux d'apprenti, de compagnon et de maître et les trois derniers, ceux de grand inspecteur inquisiteur commandeur, sublime prince du royal secret et souverain grand inspecteur général. Les hauts grades se réunissent en loges de perfection (du 4e au 14e degré), en chapitres de Rose-Croix (du 15e au 18e), en conseils de Kadosch (du 19e au 30e), en tribunaux (31e), en consistoires (32e) et en conseil suprême (33e). A chaque degré correspondent un signe et un tablier. De gauche à droite, sont ici représentés l'intendant des bâtiments (8e degré), le maître élu des neuf (9e), le sublime chevalier élu (11e), le prince de Jérusalem (16e), et, pages suivantes, le souverain prince Rose-Croix (18e), le prince du Liban (22e), le prince du tabernacle (24e) et le grand commandeur du temple (27e). Les couleurs, les bordures et les symboles des tabliers sont en principe invariables.

Avec ses multiples obédiences et son goût du secret, la franc-maçonnerie présente aujourd'hui un visage morcelé, façonné par un tumultueux passé, fait de scissions et de persécutions. En dépit de cet éclatement, elle est présente aux quatre coins du monde et reste une institution profondément universelle.

CHAPITRE IV
UNE FRATERNITÉ MORCELÉE

Est-ce un hasard si le grand temple de la Grande Loge de France (à gauche), situé au 8 rue Puteaux à Paris et inauguré en 1912, est une ancienne chapelle de la congrégation de Saint-Antoine de Padoue ? Sans doute... mais cela s'accorde bien avec le caractère spiritualiste de l'obédience. Depuis le début du siècle, la Grande Loge de France compte des loges d'adoption, ouvertes aux femmes et «affiliées» à des ateliers masculins.

Si la maçonnerie est implantée en Asie et en Afrique, elle se fait cependant plus discrète qu'ailleurs. Cela tient sans doute au fait que la maçonnerie véhicule une symbolique judéo-chrétienne. En Afrique noire, les loges sont présentes dans la majorité des pays pendant toute l'époque coloniale, sous leur forme occidentale. A partir des années 1960, avec l'indépendance, une africanisation des rituels et du recrutement s'est dessinée. Enfin, on notera qu'en Inde les loges sont d'origine anglo-saxonne, de même qu'en Chine. Mais dans ce pays les ateliers durent se dissoudre dès l'instauration de la République populaire en 1949.

Franc-maçonnerie et dictatures

Franc-maçonnerie et dictature n'ont jamais fait bon ménage. Dans l'Allemagne de 1934, les loges sont fermées et les maçons fichés. En France, le régime de Vichy prend

Les expositions antimaçonniques à mise en scène macabre se multiplient dans l'Allemagne d'avant-guerre. Ci-dessus, des officiers nazis visitent

LA FRANC-MAÇONNERIE FOSSOYEUSE DE LA PAIX

PAIX

MICHEL JACQUOT

une exposition en 1937 à Munich. En France, la propagande dit que la maçonnerie, en dressant les peuples les uns contre les autres, est responsable de la guerre, comme en témoigne cette affiche pour l'exposition antimaçonnique organisée en 1941 dans une loge de Lille. Dès 1940, Pétain a promulgué des lois visant à dissoudre la maçonnerie et à révéler les noms des membres, pour leur interdire l'accès aux fonctions publiques.

À l'automne 1940, une foule se presse à l'entrée du Petit Palais pour visiter l'exposition «maçonnique». La même année, Bernard Faÿ, historien royaliste, est placé à la tête de la Bibliothèque nationale et centralise les archives confisquées dans les loges. Il dirige le Service des sociétés secrètes et lance une revue de propagande, *Les Documents maçonniques*, avec Jean Marquès-Rivière, un ex-maçon, et Henry Coston, antisémite notoire. Marquès-Rivière, également

les mêmes dispositions et crée en 1940 un Service des sociétés secrètes. Soutenue par la collaboration, la propagande antimaçonnique allemande diffuse des affiches, organise des conférences et des expositions à Paris, Lille, Rouen, Nancy, se fait entendre sur Radio-Paris et tourne en 1943 *Forces occultes*. En se servant des symboles juifs et des caractères hébraïques qui décorent les loges, les nazis veulent prouver l'existence d'un complot «judéo-maçonnique», qui pour eux est un complot sioniste. L'idée n'est pas neuve, elle est partagée par Hitler lui-même qui la découvre dans le fameux ouvrage *Les Protocoles des Sages de Sion*. Ce faux fut fabriqué en France à la fin du XIXᵉ siècle par la police tsariste pour justifier les pogroms qui ravageaient les communautés juives. On y trouve le compte rendu de réunions secrètes tenues par de mystérieux «Sages» lors du premier congrès sioniste de Bâle, en 1897. On y lit la description minutieuse d'une prétendue

scénariste de *Forces occultes*, retrace dans ce film l'itinéraire d'un jeune député naïf et intègre, entré en maçonnerie mais déçu par la médiocrité et l'arrivisme de ses frères. Il meurt assassiné pour s'être opposé aux mesures antinazies des dirigeants de sa loge...

conspiration sioniste qui s'appuierait sur les idées libérales et démocratiques pour ronger de l'intérieur toutes les institutions jusqu'à ce que tout pouvoir soit remis à un souverain juif qui gouvernerait à jamais un monde pacifié... Dans ce complot, les maçons sont présentés comme des pantins manipulés par les Juifs. Ces délires idéologiques ont conduit à la persécution, à la torture, à la déportation et à l'assassinat de nombreux maçons, dans tous les pays où le nazisme a imposé son joug.

Tous les totalitarismes communient dans l'antimaçonnisme. Hitler, Mussolini, Franco, Salazar ont interdit la franc-maçonnerie et il en allait de même dans les pays communistes d'Europe de l'Est et en URSS. En Espagne, la maçonnerie est touchée de plein fouet lors de la guerre civile qui déchire le pays de 1936 à 1939. Des frères sont exécutés sommairement. Pendant toute la période franquiste, les loges doivent se mettre en sommeil. Quant aux communistes, ils voyaient dans la franc-maçonnerie une organisation capitaliste et réactionnaire d'autant

plus redoutable qu'elle était réputée mettre en péril la sécurité de l'Etat. Après tout, *Les Protocoles des Sages de Sion* ne prouvaient-ils pas que les maçons étaient à la solde d'Israël ? Seule exception parmi les régimes communistes : Cuba, où Fidel Castro n'a jamais interdit la franc-maçonnerie.

Maçons orthodoxes...

Sauf à prendre le parti d'un type déterminé de maçonnerie, il faut laisser à la Grande Loge Unie d'Angleterre la place centrale qui lui revient dans l'organigramme de la maçonnerie mondiale, car elle s'attribue le droit de reconnaître comme authentiquement maçonnique toute autre obédience pourvu qu'elle satisfasse aux conditions de « régularité » imposées par elle : croyance en un Dieu,

« La croyance au Grand Architecte de l'Univers et en sa volonté révélée est une condition essentielle pour l'admission de chaque membre. La Grande Loge et les loges particulières doivent être composées exclusivement d'hommes ; chaque loge n'entretiendra aucune relation avec des loges mixtes ou avec des organismes qui admettent des femmes comme membres. Toute discussion religieuse ou politique est absolument interdite à l'intérieur des loges. »
Grande Loge Unie d'Angleterre, 1929

Ci-contre, le grand temple de la Grande Loge Nationale Française, sis au 65 boulevard Bineau à Neuilly. Seule obédience régulière en France, elle a vu le jour en 1913, sous l'impulsion d'un frère du Grand Orient, Edouard de Ribaucourt, déçu par le rationalisme athée. Elle s'appelait alors Grande Loge Nationale Indépendante et Régulière pour la France et les Colonies françaises et prit son nom actuel en 1948. Une de ses loges publie les *Travaux de la Loge nationale de*

serment prêté sur un livre sacré (Bible, Coran, Vedas), masculinité des loges, interdiction des discussions politiques et religieuses, etc. Les obédiences régulières respectent ces *landmarks* de la maçonnerie opérative. Aujourd'hui, sont ainsi marqués au coin de la régularité environ sept millions de maçons sur les huit millions répartis sur la surface du globe, et des dizaines d'obédiences, comme celles des pays scandinaves, des Etats-Unis, et bien d'autres à travers le monde : Grandes Loges Unies d'Allemagne, Grand Orient d'Italie, Grand Orient des Pays-Bas, Grande Loge Régulière de Belgique, etc. Les contacts officiels avec les maçonneries non régulières sont prohibés mais rien n'empêche un maçon régulier d'entretenir des relations amicales avec un frère ou une sœur se trouvant dans l'«irrégularité».

recherches Villard de Honnecourt, une revue de maçonnologie. Dans les loges régulières, les trois grandes lumières de la franc-maçonnerie sont le Volume de la Loi Sacrée (à savoir la Bible, le Coran, les Védas etc.), l'équerre et le compas. Si le VLS est la Bible, il est le plus souvent ouvert au début de l'Evangile de Jean.

... et maçons progressistes

Majoritaires à l'échelle mondiale, les tenants de l'orthodoxie maçonnique s'effacent, en France et dans les pays latins, derrière les maçons progressistes. C'est ainsi que la Grande Loge Nationale Française, seule obédience du pays reconnue par Londres, ne compte qu'une dizaine de milliers de membres, alors que le Grand Orient de France, obédience libérale, en compte trois fois plus... Ce n'est pas l'effet du hasard : partout où l'Eglise catholique a été influente sont apparues, en réaction contre le cléricalisme, des maçonneries à la pointe du combat laïc. Si l'on devait

L'intérieur de ce temple du Grand Orient de France, rue Cadet, fait voir au premier plan les trois piliers situés à trois angles du «carré long» sur lequel il est interdit de marcher. Ces piliers symbolisent la sagesse, la force et la beauté, trois qualités maçonniques, tandis que le carré long, en réalité un rectangle, représente un espace sacré sur lequel est déroulé le «tableau de loge». A l'orient, on voit la chaîne d'union, une corde faite de douze nœuds, ou «lacs d'amour», qui renvoient aux signes du zodiaque. Cette chaîne symbolise l'équilibre du monde et de la loge. Si au début du siècle une frange du Grand Orient semblait délaisser le symbolisme, jugé inutile, contraire au progrès et aux principes de la libre pensée, les loges de l'obédience sont aujourd'hui décorées avec soin, et les frères éprouvent un nouvel attrait pour l'étude du symbolisme comme méthode complémentaire de la raison.

aujourd'hui trouver un contrepoids à la maçonnerie anglo-saxonne, on se tournerait vers le CLIPSAS, le Centre de liaison et d'information des puissances maçonniques signataires de l'appel de Strasbourg, créé en 1961 à l'initiative de deux obédiences progressistes, le Grand Orient de France et celui de Belgique. Il regroupe aujourd'hui quarante-trois obédiences et quelque quatre-vingt mille frères et sœurs pour qui le travail maçonnique ne peut s'exécuter que dans un esprit de liberté de conscience absolue. Dans les loges libérales, les discussions politiques et religieuses ne sont pas interdites, bien au contraire. Les débats qui animent les colonnes du temple portent souvent sur des problèmes de société. Le tout est de faire preuve de tolérance et de respect, et de laisser chacun s'exprimer librement.

Grand Orient de Belgique

BANQUET

de

l'Assemblée Générale

des Maç∴ belges

du

18ᵉ j∴ du 3ᵉ m∴ 5947

Le grand temple du Grand Orient de Belgique à Bruxelles, l'un des plus grands d'Europe, est un témoin de l'égyptomanie maçonnique.

Un foisonnement d'obédiences

A mi-chemin entre réguliers et libéraux, prend place un courant spiritualiste. Il est illustré par la Grande Loge de France dont la majorité des ateliers a conservé la référence au Grand Architecte de l'Univers sans pour autant se conformer au modèle anglo-saxon qui oblige à la croyance. Spiritualiste, la Grande Loge refuse de s'engager dans le combat politique, privilégiant la tradition ésotérique et la réflexion sur les rites et les symboles. L'article premier des constitutions de l'obédience dit que «la franc-maçonnerie est un ordre initiatique traditionnel et universel, fondé sur la fraternité». Mais il existe bien d'autres obédiences en France, comme le Rite de Memphis-Misraïm, la Fédération du Droit Humain (mixte) ou la Grande Loge Féminine (dont les hommes sont exclus). L'arrivée des femmes dans la franc-maçonnerie est un phénomène caractéristique du XXe siècle mais une grande majorité de maçons semble répugner au mélange des sexes et même dans les loges mixtes, les hommes sont peu nombreux.

ALL SQUARE.

«Tout est à égalité», dit cette carte postale anglaise du début du siècle, jouant sur l'égalité des sexes en maçonnerie et sur le mot *square*, qui signifie aussi équerre. En France, la Grande Loge Féminine naît en 1952 : seules des femmes y sont initiées mais des hommes y sont quelquefois admis comme visiteurs. Cette obédience a créé nombre de loges hors de France. La maçonnerie féminine est aujourd'hui en pleine expansion en Angleterre et en Allemagne, pays dont les loges n'ont longtemps accueilli que des hommes.

Partout dans le monde?

Il existe encore aujourd'hui des pays qui interdisent les associations maçonniques : ce sont souvent des pays musulmans comme l'Iran, l'Irak, la Syrie, la Tunisie et l'Algérie. En terre d'islam, une société d'origine occidentale qui prône la libre association et la libre pensée ne peut être tolérée. De plus, les maçons, qui passent, à tort, pour être des agents sionistes, doivent se montrer discrets… La maçonnerie renaît dans les anciens pays communistes à l'initiative ou avec l'aide d'obédiences européennes. Là, les aléas de son

développement dépendent pour une large part des progrès économiques et démocratiques. L'activité maçonnique a repris en Hongrie, en Tchécoslovaquie, en Bulgarie et en Pologne. Dans l'ex-URSS et en Roumanie, le réveil des loges est timide, freiné par la résurgence des vieux démons de l'antimaçonnisme.

La loge est à la base de la vie maçonnique

Un franc-maçon doit à d'autres maçons d'avoir été initié un jour. Pourquoi se dit-il maçon, sinon parce que d'autres frères le reconnaissent comme tel ? Il a dû être accepté par les membres d'une loge. S'il veut exercer son art, le maçon ne peut se passer de l'aide de ses frères. Il ne peut exister de maçon isolé. Voilà pourquoi le franc-maçon est réputé libre dans une loge libre, en dépit de la structure obédientielle. Une obédience, c'est-à-dire une fédération de loges qui partagent les mêmes rites, les mêmes valeurs, est une entité administrative, dirigée démocratiquement par les représentants des loges. Elle édicte des règlements, propose des thèmes de réflexion et se charge des relations avec le monde profane. Une partie de la cotisation du maçon est versée à l'obédience. Une légende voudrait qu'une condition pour devenir maçon soit d'être riche

Aux Bahamas, des frères en tenue suivent un enterrement. Partout dans le monde, il existe des obsèques maçonniques. En pratique, les frères assistent à la cérémonie religieuse ou civile organisée par la famille du défunt, et se contentent de déposer sur le cercueil un drap noir orné de symboles ou de prononcer un discours au nom de la loge. Mais il arrive que la cérémonie funèbre se déroule dans l'atelier, en présence de la dépouille mortelle du maçon passé à l'Orient éternel. Après les obsèques a lieu dans le temple une tenue funèbre, au cours de laquelle il est fait mémoire des disparus.

Ce timbre de la République de Guinée est à l'effigie du maçon La Fayette, qui a combattu les Anglais aux côtés du frère Washington. En Afrique noire, la maçonnerie est très discrète et ne s'ouvre qu'aux personnages influents.

et influent ! Il n'en est rien et la composition socio-professionnelle des ateliers le prouve : on y rencontre des enseignants, des fonctionnaires, des politiciens, des professions libérales, des commerçants, des artistes et des artisans, mais très peu de magnats de la finance et de l'industrie ou d'ouvriers.

Organisation d'un espace sacré

La loge est un espace sacré, séparé du monde profane. Sauf procédure exceptionnelle, il faut être initié pour y entrer et participer aux travaux. Le frère «couvreur» s'assure que le temple est bien couvert, à l'abri des profanes. La loge est un microcosme, une image du monde, et bien qu'elle présente le plus

L'architecture maçonnique s'accommode de l'évolution des styles, comme le montre cet intérieur moderne de la loge Le Trait d'Union, à Saint-Nazaire. Avec son plafond bas, ce temple évoque davantage la caverne que le monde cosmique. Mais la caverne elle-même est le lieu de l'initiation chez de nombreux peuples et constitue le symbole de la matrice originelle. Endroit propice à l'exploration de soi et qui ouvre sur la connaissance du

souvent une forme rectangulaire, ses dimensions sont définies symboliquement : «Sa longueur va de l'Occident à l'Orient, sa largeur du Septentrion au Midi, sa hauteur du Nadir au Zénith». Le zénith, c'est-à-dire le plafond du temple, est décoré d'une voûte azurée et étoilée.

La loge est un modèle d'organisation : chaque frère occupe

monde. Sur les marches qui mènent à l'autel du vénérable, on remarque la présence de la pierre brute (à gauche) et de la pierre cubique à pointe (à droite), symboles du travail que l'apprenti doit opérer sur lui-même pour tendre au perfectionnement de son être.

une place déterminée, chacun a sa fonction, son grade. La loge est présidée par le vénérable, qui se tient à l'orient ; c'est lui qui ouvre et ferme les travaux et qui dirige les séances ou «tenues». Il est assisté par le premier surveillant, chargé de diriger les compagnons et d'assurer la discipline, et par le second surveillant, qui instruit les apprentis.

Tous deux doivent siéger près d'une colonne, J ou B – initiales de Jakin et Boaz. Dans le premier Livre des Rois, il est en effet question des deux colonnes de bronze coulées par Hiram pour le temple de Salomon. Hiram baptisa celle de droite Jakin et celle de gauche Boaz. Les frères sont tous assis au sein de deux ensembles de rangées qui se font face, au nord et au sud du temple. A l'occident, de chaque côté de la porte, se trouvent les deux colonnes. Si l'apprenti est astreint au silence pendant les travaux – il est là pour écouter et pour apprendre –, les autres frères doivent demander l'autorisation pour prendre la parole au surveillant de la colonne. Ceux qui l'écoutent ne peuvent ni l'interrompre ni commenter ses propos. Une discipline rigoureuse permet de rendre sereins les débats les plus délicats. Un orateur veille au respect des règlements, un secrétaire rédige le procès-verbal de la tenue, un expert connaît les rituels à suivre en chaque circonstance, un trésorier gère la comptabilité, et un hospitalier visite les malades et recueille les dons destinés à aider un maçon en difficulté. Chaque loge a son fonds de bienfaisance alimenté par les contributions des frères versées dans un tronc dit «de la veuve».

Jusque vers 1750, le «tableau de loge», qui représente les symboles d'un grade déterminé, était dessiné sur le sol à l'ouverture des travaux puis effacé à la clôture. (Ci-dessus, un tableau allemand du XVIIIe siècle). Ce «tableau» de loge est parfois un tapis que l'on déroule pendant les travaux sur le «carré long» ou pavé mosaïque. A la fin des travaux, on fait circuler parmi les frères le «tronc de la veuve», une bourse (ci-dessous) destinée à récolter les dons des frères.

L'art maçonnique

Ce tableau anglais du premier degré – le grade d'apprenti – (page de gauche) est dominé par les colonnes S, W et B, représentant les trois vertus : force (*strength*), sagesse (*wisdom*) et beauté (*beauty*). Le tableau du deuxième degré (ci-contre) montre un escalier en spirale au bas duquel se trouve le compagnon, prêt pour la route. Cette scène illustre le parcours initiatique qui doit conduire le maçon à la vérité. La spirale évoque les difficultés que l'initié va rencontrer. Les deux colonnes, Jakin et Boaz, sont surmontées de deux globes, le globe terrestre et le globe céleste, pour avertir que l'on va entrer dans un espace qui, symboliquement, est de dimension cosmique. A chaque degré correspond un bijou : ci-dessus, un bijou du grade de maître, caractérisé par l'entrecroisement de l'équerre et du compas.

L'art maçonnique s'exprime sur des supports multiples autant qu'inattendus. Il s'agit d'objets fonctionnels – montre, bijou, vaisselle – ou rituels. Page de gauche, la bannière de la Grande Loge Symbolique Ecossaise, une dissidence de la Grande Loge de France ; une montre de gousset, décorée des deux colonnes et du sol en damier ; un fauteuil de vénérable qui aurait servi à Philippe Egalité, grand maître du Grand Orient ; un tablier d'Ecossais trinitaire (26e degré du Rite Ecossais Ancien et Accepté), un sautoir et son bijou du 26e degré ; une gourde ornée du compas et de l'étoile flamboyante.
Ci-contre, un bijou d'époque napoléonienne ; un sautoir du Grand Orient ; un sautoir de chevalier Rose-Croix ; enfin, une boîte à suffrages, utilisant des boules rouges («oui») ou noires («non») pour voter, entre autres, l'admission d'un candidat. Un tiroir permet de compter les boules et de déterminer le résultat du vote.

Grades, rites et rituels

La franc-maçonnerie compte différents rites et rituels variant selon les époques, les pays, et les loges. Le rite est un ensemble de rituels. Le rituel se pratique en divers moments : ouverture et fermeture des travaux, initiation, banquet, «augmentation de salaire» (passage d'un grade à un autre), visite d'un profane,

Il arrive que des loges non «régulières» s'ouvrent aux profanes, en invitant soit un orateur non-maçon, soit la famille ou les amis des maçons, à l'occasion d'une fête. Dans les deux cas, le décor maçonnique porté par les frères se limite le plus souvent au cordon. Par ailleurs, un profane invité à parler d'un sujet dont il est spécialiste ne peut assister au rituel d'ouverture et de fermeture des travaux.

> ORDRE MAÇ.·. MIXTE INTERNATIONAL "LE DROIT HUMAIN"
> Fédération Française
>
> # Tenue Blanche
>
> LE MERCREDI 11 MARS 1931, A 20 H. 30
> Salle des Fêtes du Grand Orient de France, 16, rue Cadet, Paris
>
> ## Quel Idéal peut-on, à l'heure actuelle, proposer à la Jeunesse ?
>
> **L'Idéal Laïque**
> par M. Marcel DÉAT
> Agrégé de l'Université
>
> **L'Idéal Maçonnique**
> par Madame LAHY - HOLLEBECQUE
>
> Représentation Dramatique et Musicale
> ### L'Idéal des Ages
> avec le concours d'Artistes de 1er ordre — Musique — Déclamation — Danses
>
> On commencera exactement à l'heure indiquée. Les portes seront fermées pendant les conférences.

etc. Dans ce dernier cas, la tenue de loge sera dite «tenue blanche», «fermée» si l'orateur est profane et le public composé seulement de francs-maçons, «ouverte» si l'orateur est maçon et le public composé de maçons et de profanes. Les différents rites ont en commun les trois premiers grades ou «degrés» : apprenti, compagnon, maître. La loge pratique un rite qui lui donne une atmosphère, un ton particuliers. Au nombre des rites aujourd'hui en usage, on trouve d'abord le Rite Ecossais Ancien et Accepté, le plus pratiqué au monde. Composé de trente-trois grades, il est né en France au début du XVIIIe siècle. On y retrouve des thématiques chevaleresques et rosicruciennes. Le Rite Ecossais Rectifié est d'un esprit plus chrétien. Il remonte aussi au XVIIIe siècle et comprend six degrés. Le Rite Français – dit aussi Rite Moderne – est un système à sept degrés défini par le Grand Orient de France en 1786 et plusieurs fois modifié. Assez simplifié, ce rite est en usage au Grand Orient de France et dans des obédiences libérales. Le Rite Emulation (*Emulation Working*) est celui de la maçonnerie anglo-saxonne et d'obédiences régulières. Composé des trois premiers degrés, il doit être récité par cœur, alors que la plupart des autres rites sont lus. Si en Grande-Bretagne, les frères répugnent le plus souvent à la pratique des hauts grades, il n'en va pas de même aux Etats-Unis où le Rite d'York comporte plusieurs degrés à la suite des trois premiers.

La symbolique maçonnique

Les outils des constructeurs de cathédrales constituent le premier matériau utilisé par les francs-maçons pour façonner un symbolisme original. Sur

Cette tenue blanche ouverte au siège du Grand Orient eut lieu à l'occasion du centenaire de la Commune en 1971. Des représentants de loges sortent leurs bannières (celle de la Ruche philosophique) et de jeunes maçons ouvrent la cérémonie aux flambeaux. Assistait à la tenue, outre les dignitaires du Grand Orient et ceux d'obédiences amies, René Cassin, prix Nobel de la paix.

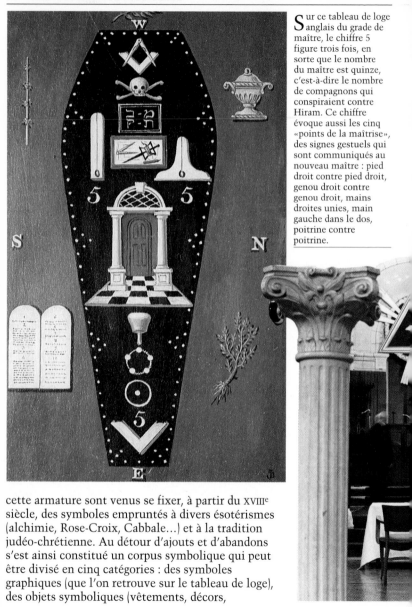

Sur ce tableau de loge anglais du grade de maître, le chiffre 5 figure trois fois, en sorte que le nombre du maître est quinze, c'est-à-dire le nombre de compagnons qui conspiraient contre Hiram. Ce chiffre évoque aussi les cinq «points de la maîtrise», des signes gestuels qui sont communiqués au nouveau maître : pied droit contre pied droit, genou droit contre genou droit, mains droites unies, main gauche dans le dos, poitrine contre poitrine.

cette armature sont venus se fixer, à partir du XVIIIᵉ siècle, des symboles empruntés à divers ésotérismes (alchimie, Rose-Croix, Cabbale...) et à la tradition judéo-chrétienne. Au détour d'ajouts et d'abandons s'est ainsi constitué un corpus symbolique qui peut être divisé en cinq catégories : des symboles graphiques (que l'on retrouve sur le tableau de loge), des objets symboliques (vêtements, décors,

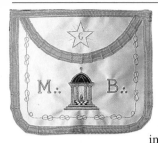

mobilier...), des symboles sonores (mots de passe, acclamations, batteries), des symboles gestuels (signes de reconnaissance, marche...) et des symboles rituels, c'est-à-dire des symboles «agis», intégrés dans un rite. On se trouve en réalité devant une reconstruction symbolique proprement maçonnique : les symboles, sortis de leur contexte originel, sont investis de significations nouvelles.

Les tabliers contemporains sont très dépouillés. Sur ce tablier de maître figurent les initiales de la parole de maître «mac benac» (la chair quitte les os). Sur la bavette du tablier se trouve le pentagramme ou étoile flamboyante, avec, en son centre, la lettre G, initiale de *God* (Dieu, en anglais) pour les «réguliers», ou de géométrie, gnose, gravitation, gloire, etc., pour les autres.

Le symbolisme, une école de moralité

Les maçons ont toujours interprété très diversement ce symbolisme. Depuis trois siècles, qu'elles soient fondées sur une morale naturelle, une mystique religieuse ou un rationalisme athée, les interprétations moralisantes des symboles prédominent. Le tracé, la vision ou l'évocation d'équerres, de compas, de maillets, par exemple, suscitent des idées de justice, de rectitude, de vertu, de fraternité. Le maçon utilise les symboles que sont les outils pour transformer la «pierre brute» en «pierre taillée», pour s'améliorer lui-même. Devenu pierre taillée, il peut prendre part à l'édification du temple de l'humanité nouvelle, d'une société meilleure. Il y a d'autres façons d'interpréter les symboles. Dans un sens religieux par exemple : les symboles sont alors un langage sacré, une révélation du divin. Ou dans un sens rationaliste : la symbolique maçonnique est un moyen d'approcher le réel, les concepts

Souvent fait de buis, mais aussi d'ivoire, de pierre ou d'ébène, le maillet est un symbole d'autorité : le vénérable et les deux surveillants d'une loge l'utilisent pour ouvrir et fermer les travaux, et pour diriger les débats. Avec le ciseau, il est remis à l'apprenti pour dégrossir la pierre brute : il symbolise alors l'intelligence.

logiques et rationnels, il se pose en antidote du symbolisme religieux et du dogme. Il y a place également pour une lecture psychanalytique de la maçonnerie et de son symbolisme : la loge est le lieu de toutes les expériences, le vénérable est le Père, et l'utilisation de symboles concourt à l'épanouissement de la personnalité.

Les symboles assument plusieurs fonctions. Ils constituent un ciment qui soude les frères entre eux, en même temps qu'ils excluent les profanes. En s'adressant autant au cœur de l'homme qu'à sa raison, le symbolisme maçonnique assume aussi une fonction réconciliatrice entre le rationnel et l'irrationnel. Pour certains, le symbolisme joue un rôle d'accès au divin, à l'au-delà. L'exemple du

G rand maître de la Grande Loge de France de 1956 à 1977, Richard Dupuy est ici devant une assemblée de vénérables. A cette

époque, la Grande Loge comptait moins de 8 000 frères, répartis dans plus de 200 loges. Le convent discutait alors des thèmes étudiés par les loges : «la règle maçonnique, l'initiation au bonheur, l'édification d'une société cosmique à l'échelle humaine». Jean-Louis Mandinaud (à droite), grand maître de l'obédience depuis 1993, est à la tête d'une institution qui compte 23 000 membres et 550 loges.

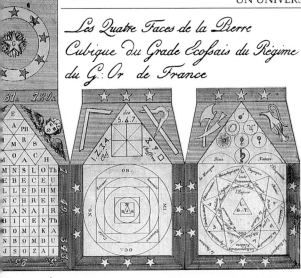

Les Quatre Faces de la Pierre Cubique du Grade Ecossais du Régime du G∴ Or de France

« Les quatre faces de la pierre cubique du grade écossais du régime du Grand Orient de France ». Cette gravure du début du XIXe siècle est propre au 14e degré du Rite Ecossais Ancien et Accepté, appelé alors Grand Ecossais de la Voûte Sacrée. On y voit d'autre part des alphabets maçonniques, comme en dessous un des nombreux alphabets reproduits dans un recueil de rites, le *Tuileur*, de Vuillaume (1830). En réalité, le chiffre de ce langage était facile à décoder. Si ces signes sont aujourd'hui tombés en désuétude, il faut voir en eux le vestige d'un langage particulier qui était moins un chiffre protecteur qu'une façon de communiquer à l'abri des profanes. Ces alphabets furent très en vogue au XIXe siècle, plusieurs degrés ayant leur propre code.

...ETS MAÇONNIQUES

f g h i l m n o p q

... symbole du Grand Architecte de l'Univers illustre cette fonction. Pour les maçons réguliers, il faut croire en un Dieu et en sa volonté révélée. Mais pour d'autres, le triangle, représentation du Grand Architecte, n'évoque rien d'autre que l'équilibre entre des forces morales opposées. En définitive, le symbolisme maçonnique est plurivoque. Il fonde la maçonnerie et la maintient en vie. Il en est l'épine dorsale, le soubassement. Pour des millions de maçons, c'est un langage universel qui assure à la maçonnerie une certaine unité en dépit des différences de religion, de philosophie, de sensibilité.

Société secrète ou fraternité discrète?

La méprise est totale : parce qu'elle a des secrets, la société maçonnique est réputée

secrète, voire clandestine. Or, en France, la majorité des loges est constituée sous forme d'associations régies par la loi de 1901. Dans beaucoup de pays, leur forme juridique est celle d'associations à caractère philanthropique sans but lucratif. Mais cela n'épuise pas la question du secret. «S'ils ne faisaient point le mal, ils ne haïraient pas ainsi la lumière», s'était exclamé le pape Clément XII en 1738. Puisque secrets il y a, quels sont-ils? L'appartenance à la maçonnerie est tenue secrète : un frère peut dévoiler son appartenance, mais non celle d'un autre frère. D'abord au nom du respect absolu de la vie privée.

Lors de la commémoration de la Commune en 1971 (ci-dessus), plus de quatre mille maçons du Grand Orient, mais aussi du Droit humain et de la Grande Loge Féminine, défilèrent en cortège au cimetière du Père-Lachaise devant le mur érigé en mémoire des morts de la Commune. Ils fleurirent le portrait de la maçonne Louise Michel, une institutrice anarchiste qui prit part à la Commune et fut condamnée au bagne.

Le caractère secret de la franc-maçonnerie est une question débattue à l'intérieur même des loges : la société maçonnique doit-elle s'ouvrir davantage au monde profane ? Les avis sont partagés. Certains estiment qu'elle aurait beaucoup à y gagner. En devenant transparente, publique à la manière des Eglises, en diffusant rituels, constitutions et règlements, en montrant au grand jour ses méthodes et ses buts – qui n'ont rien que de louable –, elle ferait taire les critiques. D'autres pensent que le secret, et le secret d'appartenance en particulier, doit être gardé, en raison de possibles manifestations d'antimaçonnisme. La façon dont une obédience comme le Grand Orient prend parfois publiquement position en irrite plus d'un dans les milieux maçonniques. Pourtant, pour qui veut se donner la peine de connaître la franc-maçonnerie, les rites et les rituels sont accessibles au profane, de même que les publications internes, prétendument réservées aux initiés. Seule l'initiation confère à la franc-maçonnerie son caractère irrémédiablement secret.

Ensuite pour se préserver de réactions négatives, dans le milieu professionnel ou politique par exemple. Est également secret tout ce qui se dit en loge. Ainsi, les frères savent qu'ils peuvent parler librement sur n'importe quel sujet sans que leurs propos soient répercutés sur la place publique. Sont généralement tenus à l'écart des profanes les publications internes, règlements de loges, rituels pratiqués. Ce sont des documents confidentiels qui ne regardent que la vie d'un groupe et dans lesquels on chercherait en vain quelque projet de déstabilisation sociale. En réalité, les secrets qui viennent d'être énumérés ont été et sont encore dévoilés. Il est pourtant un secret qui est incommunicable et inviolable car il est de l'ordre de l'expérience vécue : c'est celui qui résulte de l'initiation et du travail personnel. Ainsi s'exprimait déjà le frère Casanova au XVIIIe siècle : «Le secret de la maçonnerie est inviolable par sa propre nature, puisque le maçon qui le sait ne le sait que pour l'avoir deviné. Il ne l'a appris de personne. Il l'a découvert à force d'aller en loge, d'observer, de raisonner et de déduire.»

V. I. T. R. I. O. L.

L'initiation, ou le «baptême» franc-maçon

VIGILANCE PERSÉVÉRANCE

Avant d'être initié, le candidat aura dû être accepté par sa loge. Un frère ou deux l'aura parrainé, se portant garant de son aptitude à devenir un bon maçon. Le candidat est d'abord interrogé par la loge tout entière ou par certains de ses membres les plus anciens. La plupart du temps, cet interrogatoire a lieu «sous le bandeau» : pour répondre aux questions, le candidat a les yeux bandés. Suit un ultime vote de la loge qui décide d'admettre ou non le candidat.

La cérémonie de l'initiation varie d'une loge à l'autre et dépend du rite pratiqué. Elle ne laisse aucun candidat indifférent. Il va vivre un véritable psychodrame, articulé autour de trois temps forts : la préparation, la mort initiatique puis la renaissance. Au terme de l'initiation, l'apprenti a laissé derrière lui le profane qu'il était pour renaître à une vie nouvelle. Commence pour lui un itinéraire marqué

Sur ce panneau situé à l'intérieur du cabinet de réflexion (en haut à gauche) sont reproduits plusieurs symboles alchimiques : le coq, symbole du mercure, le soufre, symbole de l'esprit, le sel, symbole de la sagesse, le sablier. L'acrostiche est fondé sur le terme alchimique «vitriol» : Visita Interiora Terrae Rectificando Invenies Occultum Lapidem, qui signifie «Visite l'intérieur de la terre et en rectifiant tu trouveras la pierre cachée».

par la recherche intérieure et la persévérance. Pour devenir compagnon, puis maître, il devra aussi être initié. L'initiation au grade de maître est particulièrement poignante pour le compagnon qui va revivre, symboliquement, le meurtre d'Hiram.

Dans les cabinets de réflexion (au centre), le candidat est appelé à méditer les symboles alchimiques, à se dépouiller de ses «métaux» – argent, bijoux, montre – et à rédiger son testament philosophique, pour préparer sa renaissance.

Le travail maçonnique

Le travail maçonnique comprend des rites et un travail intellectuel. Ce travail est d'abord individuel : chaque frère est invité à préparer à tour de rôle un «morceau d'architecture», un discours prononcé en loge, qui servira de base aux discussions. Avant d'être initié à un nouveau grade, le maçon devra remettre un travail personnel sur un sujet déterminé. Mais beaucoup de degrés sont «communiqués», c'est-à-dire conférés automatiquement sans travail préalable et sans initiation. Certaines loges consacrent l'essentiel de leurs réunions à des thèmes profanes : questions politiques (avenir de la République, montée de l'extrême droite...), problèmes de société (immigration, relations Nord-Sud), ou d'éthique (avortement, homosexualité, sida...). D'autres loges préfèrent traiter de sujets spécifiquement

Cette loge tendue de noir et ornée d'étoiles et de larmes (à gauche) est décorée pour une initiation au grade de maître. La planche à bascule couverte de boules sert à l'épreuve de l'air. Cette gravure (ci-dessus) montre un moment important de l'initiation. Alors qu'on lui enlève le bandeau, le néophyte découvre la lumière ainsi que les épées pointées vers lui, menace du châtiment qui le frapperait s'il révélait le secret de l'initiation.

maçonniques, les relations inter-obédientielles, la symbolique… Il s'élabore ainsi une pensée originale qui peut donner lieu à des motions, à des textes qui portent la signature d'une loge. Pour qui prend au sérieux ce travail, l'investissement est important : non seulement il faut participer avec assiduité aux tenues de loge (deux à quatre fois par mois le plus souvent), mais encore faut-il s'y préparer chez soi par un travail de réflexion et de recherche. Au sortir de son atelier, le frère continue à agir maçonniquement, s'efforçant de répandre et de mettre en application les idéaux de tolérance, de liberté et de fraternité. Ainsi, le philanthropisme maçonnique dépasse

Diffusée dans le monde profane, *Humanisme*, la revue des maçons du Grand Orient, témoigne de la volonté d'extériorisation de la plus importante obédience française. Mais il ne s'agit pas d'une revue officielle qui exprimerait la voix de l'obédience. Elle ne réserve que peu de place aux thèmes proprement maçonniques. Ci-dessus, Michel Rocard, profane, et Roger Leray, grand maître du Grand Orient, réunis en 1985 lors d'un colloque sur la société rurale organisé par le G.O.F.

l'enceinte du temple, et s'exerce en toute discrétion, hormis en Grande-Bretagne et aux Etats-Unis où les fondations maçonniques ont pignon sur rue et s'affichent comme telles, qu'il s'agisse d'écoles, d'hôpitaux ou de foyers.

L'influence de la franc-maçonnerie

Dire de la franc-maçonnerie, à l'instar de certains frères voulant se prémunir contre toute attaque, qu'elle n'a aucune influence dans la société serait

édulcorer la réalité. Pourtant la franc-maçonnerie en tant qu'institution n'a pas d'autre influence que celle de ses membres. Exceptionnellement, il peut arriver qu'une obédience prenne publiquement et officiellement position sur un problème de société. Au début de 1960 par exemple, le Grand Orient de France adressait au général de Gaulle un message de soutien à sa politique algérienne d'autodétermination. En 1985, les principales obédiences françaises ont signé, avec des organisations humanitaires et des représentants de diverses religions, un *Appel à la fraternité* dans lequel elles revendiquaient pour les immigrés le droit à la justice, à la liberté et à l'égalité, en réaction contre l'extrême droite. Dans ce cas, l'influence de la maçonnerie est celle d'une puissance spirituelle et morale. Mais la plupart des obédiences répugnent à une telle extériorisation et lorsqu'un frère s'exprime publiquement, il ne parle jamais qu'en son nom propre.

L'influence d'un maçon est fonction de sa position sociale. Qu'il soit ministre ou député, et son influence s'en trouvera accrue : il pourra orienter sa

Ci-dessus Michel Baroin, ancien sous-préfet, président de la Garantie mutuelle des fonctionnaires et de la FNAC, lors de sa désignation comme grand maître du Grand Orient en 1977. En 1979, le Grand Orient s'est réuni en convent sous sa direction pour réfléchir sur une nouvelle éthique de la société ; y furent abordées les questions de «l'économie sociale, la cité, la sexualité, la communication, les relations internationales». Les années suivantes, l'obédience s'est penchée sur le racisme, l'intolérance, le pacifisme et la démocratie.

politique en tentant d'appliquer ses idéaux maçonniques. Au Grand Orient de France, les sympathies politiques se portent le plus souvent à gauche. Si François Mitterrand n'est pas franc-maçon, plusieurs membres de son entourage le sont : Henri Emmanuelli, Roland Dumas, Pierre Joxe, Charles Hernu, etc. Chacun d'entre eux est en mesure d'influencer peu ou prou la politique gouvernementale. Il se trouve alors de mauvais esprits ou certaine presse à scandale pour extrapoler et crier à la conspiration. D'aucuns pensent que

En mai 1987 s'est tenu à Paris un Rassemblement maçonnique international, organisé par le Grand Orient, sous le haut patronage du président de la République. Une délégation fut reçue à l'Elysée par François Mitterrand. «Notre détermination est totale lorsqu'il s'agit de

l'influence de la maçonnerie réside surtout dans l'entraide sans limites que les frères exercent pour leur profit mutuel. C'est pourtant chose normale au sein de n'importe quelle communauté. Cela devient contraire à l'esprit maçonnique lorsque s'instituent des systèmes de passe-droits préjudiciables à des non-maçons.

Franc-maçonnerie et religions

Même si elle porte l'empreinte d'une certaine religiosité, la franc-maçonnerie ne peut être définie comme une religion. Les maçons réguliers l'assimilent à une «servante» de la religion, une

faire tomber les barrières qui séparent les hommes. A cet égard, comment aujourd'hui ne pas évoquer les barrières du fanatisme, les barrières du racisme et celles de la peur. La peur réactionnaire, utilisée dans notre pays comme ailleurs, par ceux qui s'opposent à l'évolution des idées», déclara Roger Leray, grand maître du G.O.F.

société qui aide à la pratique d'une religion. La maçonnerie n'est qu'une méthode et ne comporte aucun credo. Ceci posé, il faut voir quels rapports la société maçonnique entretient avec les religions, et inversement.

Depuis le XVIIIᵉ siècle, les relations avec l'Eglise catholique sont assez conflictuelles. En deux siècles, au moins douze condamnations ont été prononcées par les papes. Jusqu'à l'entrée en vigueur en 1983 du nouveau code de droit canon, les frères étaient excommuniés. Aujourd'hui, le Vatican n'admet pas qu'un catholique puisse être franc-maçon sans se trouver en état de péché grave. Du côté maçonnique, l'anticléricalisme est toujours de mise dans certains milieux, et l'on ne souhaite pas s'agréger des catholiques, réputés dogmatiques et peu aptes à penser librement.

Pourtant, depuis la fin de la Seconde Guerre mondiale, les tentatives de rapprochement se sont multipliées. Il faut citer ici les actions et les travaux des jésuites Joseph Berteloot, Michel Riquet et surtout José Antonio Ferrer Benimeli, un historien espagnol. En 1971, monseigneur Pézeril visitait le siège de la Grande Loge de France. Depuis les années 1980, on ne compte plus les obsèques religieuses de hauts dignitaires de la maçonnerie. Mais, au-delà des rencontres au sommet et des épisodes médiatisés, l'essentiel n'est-il pas que des catholiques fassent

En 1985, le Grand Orient organisait une journée commémorative du 40ᵉ anniversaire de la libération des camps avec, de gauche à droite, Georges Marcou, de la Grande Loge de France, Roger Leray, Michel Viot, un pasteur de la Grande Loge Nationale Française, le père Michel Riquet et Marcel Sturge, de la Grande Loge Nationale Française. Les rencontres pluralistes autour de la question des relations entre maçonnerie et religion se multiplient. En 1987, à Toulouse, un colloque scientifique a réuni catholiques et maçons. Au début des années quatre-vingt-dix, Michel Barat, grand maître de la Grande Loge de France, et Mgr Thomas, évêque de Versailles, ont entamé un fructueux dialogue.

partie de loges et n'y trouvent aucune entrave à la pratique de leur religion ? Pour certains même, le travail maçonnique est une occasion d'approfondir leur foi ou de la confronter à d'autres types de pensée. Quant aux Eglises issues de la Réforme, elles admettent dans une très large proportion la double appartenance. Si l'Eglise méthodiste d'Angleterre recommande à ses fidèles de ne pas devenir maçon, l'Eglise anglicane, par contre, compte depuis toujours beaucoup de maçons parmi ses membres. Entre le judaïsme et la franc-maçonnerie, il y a aujourd'hui une totale compatibilité et même une certaine communauté d'esprit : «Ils aiment le brassage, ils sont cosmopolites, ouverts à l'autre, bienveillants à l'égard des différences, partisans des échanges. Ils voient dans la tradition une invitation à innover. Ils aiment bousculer les préjugés», dit l'écrivain contemporain Daniel Béresniak.

Quelque dix mille maçons se sont rassemblés à Londres, en juin 1992 (ci-contre), pour commémorer le 275e anniversaire de la maçonnerie anglaise. Le décorum déployé ne doit pas masquer le tournant qu'elle prend aujourd'hui : les membres de l'Eglise anglicane, de la haute bourgeoisie et de la noblesse désertent les loges, et le recrutement se démocratise. Mais elle demeure apolitique et on ne la verra jamais s'engager publiquement dans le débat social.

L'avenir de la franc-maçonnerie

Le regard qui vient d'être porté sur l'histoire de la franc-maçonnerie montre que cette institution a traversé les siècles sans perdre son caractère initiatique et fraternel. Malgré les dissensions et l'écart qui se creuse entre réguliers et progressistes, la pratique maçonnique induit une certaine forme d'humanisme et d'altruisme. On retrouve cet esprit au sein des «fraternelles», ces associations inter-obédientielles qui regroupent des maçons exerçant un

même métier : fraternelle parlementaire, des artistes, des enseignants, etc. Tout cela augure bien de l'avenir de la maçonnerie. Sauf à renier son passé, elle devrait rester une société résolument tournée vers le bonheur de l'homme et s'employer à construire inlassablement un monde jamais achevé.

Au sein de sociétés souvent tentées par le repli sur soi et à la recherche d'une éthique nouvelle, la franc-maçonnerie apparaît comme un sérieux antidote à l'individualisme, au désespoir et à l'immobilisme.

Une délégation du Grand Orient a participé, en janvier 1994 à Paris, à la manifestation pour l'école laïque. L'obédience a repris à son compte le ternaire révolutionnaire «Liberté, Egalité, Fraternité» qui, au rite français, constitue une acclamation en loge. Le grand maître Charbonniaud, de la Grande Loge Nationale Française (ci-contre), est le représentant de l'obédience la plus discrète, qu'on ne verra jamais défiler dans la rue.

TÉMOIGNAGES
ET DOCUMENTS

En deux mots et quinze lettres :
« Souvent courtisée, parfois décriée, cette fille des Lumières
ne se laisse pas facilement approcher.»

Les Constitutions d'Anderson

Publiées pour la première fois à Londres en 1723, les Constitutions d'Anderson, charte universelle de l'ordre maçonnique, sont divisées en quatre parties : une histoire légendaire de la franc-maçonnerie, les obligations du maçon (reproduites ici), des règlements généraux et des chants maçonniques.

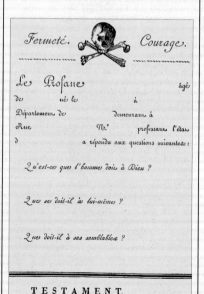

LES OBLIGATIONS D'UN FRANC-MAÇON
extraites des
Anciennes archives des loges
d'au-delà des mers et d'ANGLETERRE,
ECOSSE et IRLANDE,
à l'usage des loges de LONDRES,
POUR ÊTRE LUES
A l'initiation de NOUVEAUX FRÈRES
ou quand le MAÎTRE l'ordonnera.

I
Concernant Dieu et la Religion

Un Maçon est obligé, par son engagement, d'obéir à la loi morale, et s'il comprend correctement l'Art, il ne sera jamais un athée stupide ni un libertin irréligieux. Mais quoique dans les temps anciens, les Maçons fussent obligés, dans chaque pays d'être de la religion de ce pays ou nation, quelle qu'elle fût, aujourd'hui, il a été considéré plus commode de les astreindre seulement à cette religion sur laquelle tous les hommes sont d'accord, laissant à chacun ses propres opinions, c'est-à-dire d'être des hommes de bien et loyaux ou des hommes d'honneur et de probité quelles que soient les dénominations ou croyances religieuses qui aident à les distinguer, par suite de quoi, la maçonnerie devient le Centre de l'Union et le moyen de nouer une amitié fidèle parmi des personnes qui auraient pu rester à une perpétuelle distance.

"Le Récipiendaire, avant de passer aux terribles épreuves physiques et morales qui l'attendent, remplira la formule ci-contre par ses nom, prénom, âge, etc., et écrira ses réponses aux questions qui lui sont proposées; puis, s'armant de courage, il fera ensuite son testament dans les termes les plus clairs et les plus concis possibles, de manière à ne laisser aucun doute sur ses intentions dernières, qu'il signera.**"**

II
Du Magistrat civil suprême et subordonné

Le Maçon est un paisible sujet vis-à-vis des pouvoirs civils, en quelque endroit qu'il réside ou travaille et ne doit jamais se mêler aux complots et conspirations contre la paix ou le bien-être de la Nation, ni manquer à ses devoirs envers les magistrats inférieurs ; car, comme la Maçonnerie a toujours souffert de la guerre, de l'effusion de sang et du désordre, il en a résulté que les anciens rois et princes ont été fort disposés à encourager les artisans à cause de leur caractère pacifique et de leur loyauté au moyen desquels, dans la pratique, ils répondaient aux chicanes de leurs adversaires et concouraient à l'honneur de la Confrérie, toujours florissante en temps de paix. C'est pourquoi, si un frère devient rebelle à l'Etat, il ne doit pas être soutenu dans sa rébellion quelle que soit la pitié qu'il puisse inspirer en tant qu'homme malheureux et s'il n'est convaincu d'aucun autre crime, bien que la loyale Fraternité doive et ait le devoir de désavouer sa rébellion et de ne donner aucun ombrage ni motif de défiance politique au Gouvernement existant, ils ne peuvent pas l'expulser de la Loge, et sa relation avec elle demeure indéfectible.

III
Des loges

Une loge est un lieu où des Maçons s'assemblent et travaillent. Par conséquent, cette Assemblée ou Société de Maçons dûment organisée est appelée loge et chaque frère doit appartenir à une et se soumettre à son *règlement* et aux règlements généraux. Une Loge est particulière ou générale et sera mieux

Désaguliers, le pasteur français qui a participé à la rédaction des *Constitutions*.

comprise par sa fréquentation et par les règlements de la Loge générale ou Grande Loge, ci-après annexés. Dans les temps anciens, aucun maître ou compagnon ne pouvait s'en absenter, particulièrement s'il avait été averti de s'y trouver sans encourir une censure sévère, à moins qu'il n'apparût au maître et aux surveillants que la pure nécessité l'avait empêché.

Les personnes admises membres d'une Loge doivent être hommes de bien et loyaux, nés libres et d'âge mûr et discret, ni esclaves, ni femmes, ni hommes immoraux et scandaleux, mais de bonne réputation.

IV
Des maîtres, surveillants, compagnons et apprentis

Toute promotion, parmi les Maçons, est fondée sur la valeur réelle et le mérite personnel seulement afin que les seigneurs puissent être bien servis, les frères non exposés à la honte, et le Métier royal non méprisé. En conséquence, aucun maître ni surveillant n'est choisi à l'ancienneté, mais pour son mérite. Il est impossible de décrire ces choses par l'écriture et chaque frère doit occuper sa place et les apprendre selon une méthode particulière à cette Fraternité. Cependant, les candidats doivent savoir qu'aucun Maître ne peut prendre un apprenti, sauf s'il a un emploi suffisant pour lui et à moins qu'il ne soit un parfait jeune homme, sans mutilation ou défaut dans son corps, ce qui le rendrait incapable d'apprendre l'Art, de servir le seigneur de son maître et d'être fait frère et ensuite compagnon en temps voulu, même après qu'il eut servi le terme d'années fixé par la coutume du pays; et qu'il soit issu de parents honnêtes, afin que, lorsqu'il sera qualifié, il puisse arriver à l'honneur de devenir le Surveillant, puis le Maître de la Loge, le Grand Surveillant, et, à la fin, le Grand Maître de toutes les Loges, suivant son mérite.

Nul frère ne peut être surveillant tant qu'il n'a pas obtenu le grade de compagnon, ni maître avant d'avoir agi comme surveillant, ni Grand Surveillant avant d'avoir été Maître d'une Loge, ni Grand Maître s'il n'était déjà compagnon avant son élection; qu'il soit aussi de naissance noble, ou gentleman de la meilleure sorte, ou quelque éminent savant, ou quelque architecte éclairé, ou autre artiste, né de parents honnêtes et qui soit d'un singulier grand mérite dans l'opinion des Loges. Et pour se décharger de la meilleure, la plus facile et la plus honorable façon de son office, le Grand Maître a le pouvoir de choisir son propre député Grand Maître qui doit être, ou avoir été antérieurement le maître d'une Loge

particulière et a le privilège de faire tout ce que le Grand Maître, son principal, pourrait faire, sauf si ledit Principal est présent ou n'interpose son autorité par une lettre.

Ces dirigeants et gouverneurs, suprêmes et subordonnés, de l'ancienne Loge doivent être obéis dans leurs postes respectifs par tous les frères d'après les vieilles obligations et règles en toute humilité, révérence, amour et allégresse.

V
De la gestion du métier pendant le travail

Tous les Maçons travaillent honnêtement les jours ouvrables pour pouvoir vivre honorablement les jours de fêtes, et le temps prescrit par la loi du pays ou ratifié par la coutume sera observé.

Le plus expert des compagnons sera choisi ou nommé comme maître ou inspecteur des travaux du seigneur, qui doit être appelé Maître par ceux qui travaillent sous lui. Les hommes de métier doivent éviter toute expression grossière et ne point se donner les uns aux autres de noms désobligeants, mais ceux de Frère ou Compagnon et se comporter eux-mêmes avec courtoisie à l'intérieur et en dehors de la Loge.

Le Maître, sachant lui-même être capable d'habileté, entreprendra les travaux du seigneur aussi raisonnablement que possible et emploiera fidèlement les matériaux comme s'ils étaient les siens et ne donnera pas de salaires plus élevés à aucun frère ou apprenti qui ne le mérite réellement.

A la fois le Maître et les Maçons recevant leurs salaires avec exactitude, doivent être loyaux envers le Seigneur et achèveront honnêtement leur travail, qu'il soit à la tâche ou à la journée et n'accompliront pas à la tâche l'ouvrage

Une assemblée de francs-maçons en Allemagne au XVIIIe siècle.

qui a coutume d'être fait à la journée.

Nul ne connaîtra l'envie devant la prospérité d'un Frère, ni ne le supplantera ou ne le poussera hors de son travail s'il est capable de l'achever, car aucun homme ne peut finir le travail d'un autre avec autant de profit pour le Seigneur, à moins qu'il ne soit absolument au courant des projets et plans de celui qui l'a commencé.

Quand un Compagnon est choisi comme Surveillant du travail sous le Maître, il sera loyal à la fois envers le Maître et les compagnons, il surveillera soigneusement le travail en l'absence du Maître pour le profit du Seigneur, et les Frères lui obéiront.

Tous les Maçons employés recevront leurs salaires avec douceur, sans murmure ni mutinerie et ne déserteront pas le Maître avant que le travail ne soit achevé.

Un plus jeune frère sera instruit dans le travail pour éviter qu'il ne gâche les matériaux par manque de jugement et pour accroître et faire durer l'amour fraternel.

Tous les outils employés dans le travail seront approuvés par la Grande Loge.

Aucun manœuvre ne sera employé au travail propre de la Maçonnerie, et les Francs-Maçons ne travailleront pas avec ceux qui ne sont pas francs, sauf une urgente nécessité, ils n'instruiront pas de manœuvres, ou des Maçons non acceptés comme ils instruiraient un Frère ou un Compagnon.

VI
De la conduite à tenir

1. Dans la Loge pendant qu'elle est constituée.
Vous ne tiendrez pas de Comités privés ni de conversations particulières sans

permission du Maître, ni ne parlerez de choses impertinentes ou inconvenantes, ni n'interromprez le Maître ou les Surveillants, ou aucun Frère parlant au Maître. Ni ne vous comporterez d'une manière ridicule ou bouffonne pendant que la Loge est engagée dans des questions sérieuses et solennelles, ni n'userez d'aucun langage malséant sous aucun prétexte, que ce soit, mais manifesterez le respect dû à vos Maître, Surveillants et Compagnons et leur témoignerez de l'honneur.

Si quelque plainte est déposée, le Frère reconnu coupable s'en tiendra au jugement et à la décision de la Loge laquelle est le propre et compétent juge de tels différends (sauf si vous allez en appel en Grande Loge) et c'est à elle qu'ils doivent être référés, sauf si l'ouvrage du Seigneur devait entre-temps en souffrir, auquel cas une procédure particulière peut être faite, mais vous ne devez jamais aller en justice pour ce qui concerne la Maçonnerie sans une absolue nécessité reconnue par la Loge.

2. Conduite quand la Loge est finie et avant que les Frères soient partis.
Vous pouvez vous réjouir avec une innocente gaieté, vous traitant les uns les autres selon vos moyens, mais évitant tout excès, ne forçant aucun Frère à manger ou boire au-delà de son désir ou ne l'empêchant pas d'aller où l'appellent ses affaires, ne faisant ou ne disant rien d'offensant ou qui puisse empêcher une conversation aisée et libre, car cela détruirait notre harmonie et déferait nos louables desseins. Aussi, aucune brouillerie ou querelle privée ne doit franchir le seuil de la Loge, surtout aucune querelle de religion, de Nation, de politique d'État, nous étant non seulement en tant que Maçons, de la

religion universelle mentionnée ci-dessus, nous sommes aussi de toutes les nations, langues, parentés, expressions, et nous sommes résolument contre toute politique, comme n'ayant jamais contribué et ne pouvant jamais contribuer au bien-être de la Loge. Cette obligation de toujours a été strictement enjointe et observée, mais particulièrement depuis la Réforme en Grande-Bretagne, vu la séparation et la sécession de ces Nations de la communion de Rome.

3. Conduite quand des Frères se rencontrent sans étrangers mais non dans une Loge fermée.
Vous devez vous saluer l'un à l'autre de façon courtoise, ainsi que vous en serez instruit, vous appelant réciproquement « frère », vous donnant librement une instruction mutuelle quand cela paraîtra expédient, sans être vus ni entendus et sans empiéter l'un sur l'autre et sans déroger au respect qui est dû à tout Frère, même s'il n'est pas un Maçon. Car quoique les Maçons soient comme des Frères sous le même niveau, encore la Maçonnerie n'enlève point à un homme l'honneur qu'il avait auparavant : bien au contraire, elle ajoute à son honneur, spécialement s'il a bien mérité de la Fraternité qui doit rendre honneur à qui il est dû et éviter les mauvaises manières.

4. Conduite en présence d'étrangers non maçons.
Vous serez prudents dans vos paroles et votre maintien afin que l'étranger le plus pénétrant ne soit pas capable de découvrir ou de trouver ce qu'il ne convient pas de suggérer, et quelquefois, vous détournerez la conversation et la conduirez prudemment pour l'honneur de l'Honorable Fraternité.

5. Conduite chez vous et dans votre voisinage.

Vous devez agir comme il convient à un homme moral et avisé, particulièrement ne point faire connaître à vos familles, amis et voisins ce qui concerne la Loge, etc., mais consulter sagement votre propre honneur et celui de l'ancienne Fraternité pour des raisons qui n'ont pas à être mentionnées ici. Vous devez aussi tenir compte de votre santé en ne restant pas ensemble trop tard ou trop longtemps hors de chez vous, après que les heures de Loge sont passées, et en évitant la gloutonnerie et l'ivrognerie, en sorte que vos familles ne soient pas négligées ou détériorées ni vous-mêmes incapables de travailler.

6. Conduite envers un Frère étranger.

Vous devez l'examiner prudemment, de la façon que la prudence vous inspirera, de sorte que vous ne vous en laissiez imposer par un faux prétendant ignorant que vous devez repousser avec mépris et dérision, et gardez-vous de lui donner le moindre renseignement.

Mais si vous découvrez en lui un Frère sincère et authentique, vous devez lui témoigner du respect en conséquence, et, s'il est dans le besoin, vous devez le secourir si vous le pouvez, ou bien lui indiquer comment il peut être secouru. Vous devez l'employer quelques jours, le recommander pour être employé ailleurs. Mais vous n'êtes pas obligé de faire au-delà de vos moyens, seulement de préférer un pauvre Frère, qui est homme de bien et sincère à toute autre personne pauvre dans les mêmes circonstances.

Finalement, toutes ces obligations doivent être par vous observées et aussi celles qui vous seront communiquées par une autre voie : cultivant l'Amour Fraternel, le fondement et le chaperon, le ciment et la gloire de cette ancienne Fraternité, évitant toute dispute et querelle, toute calomnie et médisance, ne permettant pas aux autres de calomnier aucun Frère honnête, mais défendant sa réputation, et lui rendant toutes sortes de bons offices, autant qu'ils sont compatibles avec votre honneur et votre salut, et non au-delà. Et si l'un d'eux vous a fait du tort, vous devez vous adresser à votre Loge ou à la sienne, et de là, vous pouvez faire appel à la Grande Loge, lors de la Communication Trimestrielle, et de là à la Grande Loge annuelle, selon l'ancienne et louable conduite de nos ancêtres dans chaque pays, ne jamais avoir recours à la justice, seulement lorsque le cas peut être autrement décidé, et patiemment écouter l'honnête et amical avis du Maître et des Compagnons lorsqu'ils voudront vous empêcher d'aller en justice avec des étrangers ou vous engager à mettre rapidement fin à tout procès afin que vous puissiez prendre soin des affaires de la Maçonnerie avec plus d'empressement et de succès ; mais pour ce qui est des Frères et Compagnons en procès, le Maître et les Frères devront offrir aimablement leur médiation, à laquelle les Frères en litige devront se soumettre avec reconnaissance, et si cette soumission est impraticable, ils devront alors poursuivre leur procédure ou leur procès sans courroux ni rancune (ce qui n'est pas la voie commune), ne disant ou ne faisant rien qui puisse entraver l'amour fraternel, et les bons offices doivent être repris et continuer, afin que tous puissent voir l'influence bénigne de la Maçonnerie comme tous les Maçons l'ont fait depuis le commencement du Monde et le feront jusqu'à la fin des temps.

Amen, Ainsi soit-il.

Les papes contre les maçons

Entre la première bulle de condamnation, promulguée en 1738 et la dernière, datée de 1884, les papes ont signé une bonne dizaine d'actes fustigeant les maçons. En interdisant à ses fidèles d'adhérer à la maçonnerie, l'Eglise a engagé un processus de conflits qui persiste aujourd'hui, même si, depuis 1983, les catholiques maçons ne sont plus excommuniés.

Clément XII.

La constitution « In eminenti », de Clément XII (1738)

[...] Nous avons appris par la renommée publique qu'il se répand au loin, chaque jour avec de nouveaux progrès, certaines sociétés, assemblées, réunions, agrégations ou conventicules nommés de Francs-Maçons ou sous une autre dénomination selon la variété des langues, dans lesquels des hommes de toute religion et de toute secte, affectant une apparence d'honnêteté naturelle, se lient entre eux par un pacte aussi étroit qu'impénétrable, d'après des lois et des statuts qu'ils se sont faits, et s'engagent par un serment prêté sur la Bible, et sous les peines les plus graves, à cacher par un silence inviolable tout ce qu'ils font dans l'obscurité du secret.

Mais, comme telle est la nature du crime qu'il se trahit lui-même, jette des cris qui le font découvrir et le dénoncent, les sociétés ou conventicules susdits ont fait naître de si forts soupçons dans les esprits des fidèles que s'enrôler dans ces sociétés c'est, près des personnes de probité et de prudence, s'entacher de la marque de perversion et de méchanceté car s'ils ne faisaient point le mal, ils ne haïraient pas ainsi la lumière, et ce soupçon s'est tellement accru que, dans plusieurs Etats, ces dites sociétés ont été depuis longtemps proscrites et bannies comme contraires à la sûreté des royaumes.

Réfléchissant donc sur les grands maux qui résultent ordinairement de ces sortes de sociétés ou conventicules, non seulement pour la tranquillité des Etats temporels, mais encore pour le salut des âmes, et que par là elles ne peuvent nullement s'accorder avec les lois civiles et canoniques ; et comme les oracles divins Nous font un devoir de veiller nuit et jour en fidèle et prudent serviteur de la famille du Seigneur, pour que ce genre d'hommes, tels que des voleurs n'enfoncent la maison et tels que des renards ne travaillent à détruire la vigne, ne pervertissent le cœur des simples et ne les percent dans le secret de leurs dards envenimés ; pour fermer la voie très large qui de là pourrait s'ouvrir aux iniquités qui se commettraient impunément et pour d'autres causes justes et raisonnables à Nous connues, de l'avis de plusieurs de Nos Vénérables Frères, Cardinaux de la Sainte Église romaine, et de notre propre mouvement, de science certaine, d'après mûre délibération et de Notre plein pouvoir apostolique, Nous avons conclu et décrété de condamner et d'interdire cesdites sociétés, assemblées, réunions, agrégations ou conventicules appelés de Francs-Maçons, ou connus sous toute autre dénomination, comme Nous les condamnons et les interdisons par notre présente Constitution valable à perpétuité.

C'est pourquoi Nous défendons formellement et en vertu de la sainte obéissance à tous et à chacun des fidèles de Jésus-Christ, de quelque état, grade, condition, rang, dignité et prééminence qu'ils soient, laïcs ou clercs, séculiers ou réguliers, méritant même une mention particulière, d'oser ou de présumer sous quelque prétexte, sous quelque couleur que ce soit, d'entrer dans lesdites sociétés de Francs-Maçons ou autrement appelées, de les propager, les entretenir, les recevoir chez soi, ou de leur donner asile ailleurs et les cacher, y être inscrits, agrégés, y assister ou leur donner le pouvoir et les moyens de s'assembler, leur fournir quelque chose, leur donner conseil, secours ou faveur ouvertement ou secrètement, directement ou indirectement, par soi ou par d'autres, de quelque manière que ce soit, comme aussi d'exhorter les autres, les provoquer, les engager à se faire inscrire à ces sortes de sociétés, à s'en faire membres, à y assister, à les aider ou entretenir de quelque manière que ce soit ou les conseiller. Et Nous leur ordonnons absolument de s'abstenir tout à fait de ces sociétés, assemblées, réunions, agrégations ou conventicules, et cela sous peine d'excommunication à encourir par tous, comme dessus, contrevenants, par le fait et sans autre déclaration, de laquelle nul ne peut recevoir le bienfait de l'absolution par autre que par Nous, ou le Pontife Romain alors existant, si ce n'est à l'article de la mort.

Voulons de plus et mandons que tous les Evêques et Prélats supérieurs, et autres Ordinaires des lieux, que tous Inquisiteurs de l'hérésie, informent et procèdent contre les transgresseurs, de quelque état, grade, condition, rang, dignité ou prééminence qu'ils soient, les répriment et les punissent des peines méritées, comme fortement suspects d'hérésie. [...]

L'encyclique « Humanum genus » de Léon XIII (1884)

[...] Il existe dans le monde un certain nombre de sectes qui, bien qu'elles diffèrent les unes des autres par le nom, les rites, la forme, l'origine, se ressemblent et conviennent entre elles par l'analogie du but et des principes essentiels. En fait, elles sont identiques à la franc-maçonnerie qui est pour toutes les autres comme le point central d'où elles procèdent et où elles aboutissent. Et quoique à présent elles aient l'apparence de ne pas aimer à demeurer cachées ; quoique elles tiennent des réunions en plein jour et sous les yeux de tous ; quoique elles publient leurs journaux, toutefois, si l'on va au fond des choses, on voit bien qu'elles appartiennent à la famille des sociétés clandestines et qu'elles en gardent les allures. Il y a en effet chez elles des espèces de mystères que leur constitution interdit avec le plus grand soin de divulguer non seulement aux personnes du dehors, mais même à bon nombre de leurs adeptes. A cette catégorie appartiennent les conseils intimes et suprêmes. les noms des chefs principaux, certaines réunions plus occultes et intérieures ; de même encore les décisions prises, avec les moyens et les agents d'exécution. A cette loi du secret concourent merveilleusement la division faite entre les associés des droits, des offices et des charges, la distinction hiérarchique savamment organisée des ordres et des degrés, et la discipline sévère à laquelle tous sont soumis.

La plupart du temps, ceux qui sollicitent l'initiation doivent promettre, bien plus, ils doivent faire le serment solennel de ne jamais révéler à personne, à aucun moment, d'aucune manière, les noms des associés, les notes caractéristiques et les doctrines de la société. C'est ainsi que, sous des apparences mensongères et en faisant de la dissimulation une règle constante de conduite, comme autrefois les manichéens, les francs-maçons n'épargnent aucun effort pour se cacher et n'avoir d'autres témoins que leurs complices.

Leur grand intérêt étant de ne pas paraître ce qu'ils sont, ils jouent le personnage d'amis des lettres ou de philosophes, réunis ensemble pour cultiver les sciences. Ils ne parlent que de leur zèle pour les progrès de la civilisation, de leur amour pour le pauvre peuple. A les en croire, leur but unique est d'améliorer le sort de la multitude et d'étendre à un plus grand nombre d'hommes les avantages de la société civile. Mais à supposer que ces intentions fussent sincères, elles seraient loin d'épuiser tous leurs desseins. En effet, ceux qui sont affiliés doivent promettre d'obéir aveuglément et sans discussion aux injonctions des chefs ; de se tenir toujours prêts, sur la moindre notification, sur le plus léger signe, à exécuter les ordres donnés, se vouant d'avance en cas contraire aux traitements les plus rigoureux, à la mort elle-même. De fait, il n'est pas rare que la peine du dernier supplice soit infligée à ceux d'entre eux qui sont convaincus soit d'avoir trahi les secrets de la société, soit d'avoir résisté aux ordres des chefs [...]. Ce sont là de monstrueuses pratiques condamnées par la nature elle-même. La raison et la vérité suffisent donc à prouver que la société dont Nous parlons est en formel désaccord avec la justice et la morale naturelles [...].

Il s'agit pour les francs-maçons – et tous leurs efforts tendent à ce but – de détruire de fond en comble toute la discipline religieuse et sociale qui est née du christianisme, et de lui en substituer une nouvelle, façonnée à leurs idées et dont les principes fondamentaux et les lois sont empruntés au naturalisme. [...]

Or, le premier principe des naturalistes c'est qu'en toutes choses la nature ou la raison humaine doit être maîtresse et souveraine. Cela posé, s'il s'agit des devoirs envers Dieu, ou bien ils en font peu de cas, ou ils en altèrent l'essence par des opinions vagues et des sentiments erronés. Ils affirment que Dieu n'a rien révélé aux hommes. Pour eux, en dehors de ce que peut comprendre la raison humaine, il n'y a ni dogme religieux, ni vérité, ni maître en la parole de qui, au nom de son autorité officielle d'enseignement, on doive avoir foi. Or, comme la mission tout à fait propre et spéciale de l'Eglise catholique consiste à recevoir dans leur plénitude et à garder dans une pureté incorruptible les doctrines révélées de Dieu, aussi bien que l'autorité établie pour les enseigner, avec les autres secours données du ciel en vue de sauver les hommes, c'est contre elle que les adversaires déploient le plus d'acharnement et dirigent leurs plus violentes attaques.

[...] Ainsi, dût-il lui en coûter un long et opiniâtre labeur, elle se propose de réduire à rien au sein de la société civile le magistère et l'autorité de l'Eglise, d'où cette conséquence que les francs-maçons s'appliquent à vulgariser et pour laquelle ils ne cessent de combattre, à savoir qu'il faut complètement séparer l'Eglise de l'Etat. De ce fait, ils mettent hors des lois civiles, et, excluant de l'administration de la chose publique l'influence éminemment salutaire de la religion catholique, ils aboutissent logiquement à la prétention de constituer l'Etat tout entier en dehors des institutions et des préceptes de l'Eglise. Mais il ne leur suffit pas de ne tenir aucun compte de l'Eglise, ce guide si sage et si sûr ; il faut encore qu'ils la traitent en ennemie et usent de violence contre elle. [...]

A l'égard du Siège Apostolique et du Pontife romain, la haine de ces sectaires a redoublé d'intensité. Après que, sous de faux prétextes, ils ont dépouillé le Pape de sa souveraineté temporelle, nécessaire garantie de la liberté et de ses

droits, ils l'ont réduit à une situation tout à la fois inique et intolérable, jusqu'à ce qu'enfin, en ces derniers temps, les fauteurs de ces sectes en soient arrivés au point qui était depuis longtemps le but de leurs secrets desseins, à savoir de proclamer que le moment est enfin venu de supprimer la puissance sacrée des Pontifes romains et de détruire entièrement cette Papauté qui est d'institution divine. [...]

Que si tous les membres de la secte ne sont pas obligés d'abjurer en termes explicites le catholicisme, cette exception, loin de nuire au plan général de la franc-maçonnerie, sert plutôt ses intérêts. Elle lui permet d'abord de tromper plus facilement les personnes simples et sans défiance, et elle rend accessible à un plus grand nombre l'admission à la secte. De plus, en ouvrant leurs rangs à des adeptes qui viennent à eux des religions les plus diverses, ils deviennent plus capables d'accréditer la grande erreur des temps présents, laquelle consiste à reléguer au rang des choses indifférentes le souci de la religion et à mettre sur le pied de l'égalité toutes les formes religieuses. Or, à lui seul, ce principe suffit à ruiner toutes les religions, et particulièrement la religion catholique ; car, étant la seule véritable, elle ne peut, sans subir la dernière des injures et des injustices, tolérer que les autres religions lui soient égalées.

Vision caricaturale du franc-maçon : l'étrangleur de curés.

La Révolution, un complot maçonnique?

S'il est aujourd'hui établi que la Révolution de 1789 n'est pas un complot des maçons français, la question du rôle qu'ils ont joué dans la diffusion et la mise en pratique des idéaux de fraternité et d'égalité mérite un examen nuancé. La sociabilité démocratique, pourtant prônée en loge, avait ses limites...

L'iconographie révolutionnaire s'intègre ici dans un cadre maçonnique. Confusion ou récupération?

L'HISTOIRE : *Nombre d'historiens affirment aujourd'hui que l'idéal maçonnique égalitaire de la « fraternité universelle » a préparé le terrain à la Révolution française. Qu'en pensez-vous?*
GÉRARD GAYOT : Il faut d'abord préciser que la sociabilité égalitaire de la maçonnerie n'est pas vérifiée « sur le terrain », à travers les documents d'archives. Les récapitulations provinciales faites en Provence, en Champagne, au Mans ou à Dijon montrent que les membres de la noblesse et du clergé formèrent dans le corps maçonnique un ensemble proportionnellement plus nombreux (25 % environ) que celui qu'ils constituaient dans le corps social (2 %). Au sein du Tiers-État, les loges recrutèrent en priorité les professions libérales, les gens du négoce et le personnel de l'administration judiciaire et financière. Et elles furent beaucoup moins accueillantes au monde plus modeste de l'échoppe, de la boutique et des ateliers!

[...] Il est vrai que l'Ordre revendiqua fièrement la responsabilité de la création d'une « sublime et heureuse école [pour] la douce et consolante égalité », mais il mit tout autant un point d'honneur à combattre la « confusion des états » dans les loges et la vulgarisation du recrutement qui conduisaient, selon lui, à l'avilissement des frères et de l'art royal.
L'HISTOIRE : *Pouvez-vous nous citer des cas où les Loges ont manqué à l'idée d'égalité et de fraternité universelle?*
GÉRARD GAYOT : Oui, en vrac :
• Toulouse (1779) : « Nul ne pourra être reçu ni affilié dans notre atelier qu'il n'ait vingt-cinq ans accomplis, qu'il ne soit noble ou militaire ou officier de cour souveraine. Quoique la maçonnerie égale tous les états, il est cependant vrai que l'on doit plus attendre des hommes qui occupent tous un état distingué dans

la société civile que l'on ne doit attendre du plébéien.» [...]

• Les femmes : «Nos pères plus ou moins sages que nous n'admettaient point à leurs assemblées ce sexe aussi charmant qu'il est dangereux. On [lui] a composé pour l'instant une maçonnerie. En sommes-nous meilleurs maçons ? Hélas !» Le nom de l'art royal féminin réservé aux épouses des frères : la «maçonnerie d'adoption» ! Et pour faire bonne mesure, les frères-maris inventèrent des rituels initiatiques où leurs sœurs-femmes mangeaient la pomme, recommettant ainsi symboliquement, mais seules, la faute originelle. On ne trouve pas trace dans le discours maçonnique des courants féministes qui circulent dans le siècle. La femme reste, et pour longtemps, mineure en maçonnerie, remarquable exemple du refus des francs-maçons à innover dans le siècle des Lumières.

• Quelques mois avant l'explosion révolutionnaire, un texte du Grand-Orient de France définit ainsi les limites de la démocratie dans l'Ordre : «Nul profane ne peut être admis avant l'âge de vingt et un ans. Il doit être de condition libre et non servile et maître de sa personne. Un domestique quel qu'il soit ne sera admis qu'au titre de frère servant (chargé du service matériel du temple) [...] On ne peut recevoir aucun homme professant un état vil et abject, rarement on admettra un artisan, fût-il maître, surtout dans les endroits où les corporations et les communautés ne sont pas établies... Jamais on n'admettra les ouvriers dénommés compagnons dans les arts et métiers.» [...]

L'HISTOIRE : *Vous déniez donc à la franc-maçonnerie du XVIIIᵉ siècle sa « sociabilité démocratique » ?*

GÉRARD GAYOT : François Furet, pourtant familier des crises et des remises en cause des élites au XVIIIᵉ siècle, reprend à son compte la périodisation, proposée par Augustin Cochin dans un livre paru (à titre posthume) en 1921, selon laquelle la première phase d'incubation des nouvelles valeurs – démocratie, idéal égalitaire, etc. – aurait commencé dans les loges et les «sociétés de pensée» vers le milieu du XVIIIᵉ siècle, et serait achevée en 1788, peu avant la grande crue démocratique de 1789. Or, en quarante ans, l'Ordre a bien changé.

Il avait même commencé sa métamorphose avant 1750. Nul doute que l'égalité régna à l'origine de la franc-maçonnerie française : pouvaient y appartenir tous ceux qui n'étaient ni «athée, [ni] libertin sans religion», c'est-à-dire la majorité des Français. Mais, dès 1737, cette «uniformité distinguant les maçons de toute autre secte, [cet] ordre de société où tout homme de probité [pouvait] être admis sans porter l'épée» fut menacé par l'introduction d'un «ordre de chevalerie» et, dans les années 1740, apparurent, au-dessus du maître maçon, les hauts grades maçonniques, épris par les mystères de l'art royal, la hiérarchie entre les frères et les marques de zèle de la part des frères inférieurs.

[...] Et le Grand-Orient de France, gouvernement de la majorité des francs-maçons depuis 1773, n'eut de cesse qu'il n'obtînt le contrôle de ces hauts grades – mission presque accomplie en 1786 –, une politique qu'aurait approuvée un pouvoir monarchique rompu à soumettre à son autorité des clientèles trop indépendantes.

La lente et souvent anarchique édification de la pyramide des hauts grades chevaleresques, chargés de la surveillance et de l'obéissance des gros bataillons des sans-grades, fut la première étape de la restauration de

Augustin Barruel, anti-révolutionnaire
notoire, est l'inventeur du mythe
du complot maçonnique.

l'indispensable hiérarchie dans la franc-
maçonnerie. Alors qu'elle n'était pas
terminée, une seconde opération pour le
rétablissement de l'organisation verticale
dans l'Ordre fut menée tambour battant,
à la fin du règne de Louis XV.

Il est vrai que l'art royal avait, au
cours des années 1760, accumulé
tellement d'échecs retentissants –
bagarres entre factions rivales à Paris et
fronde ouverte des loges provinciales
contre le pouvoir central maçonnique –
que chacun, y compris le vieux roi, fut
soulagé d'apprendre la remise en ordre
de l'Ordre en 1773, date de la naissance
du Grand-Orient de France. Contrôlée
par des nobles du meilleur rang, la
nouvelle autorité fraternelle offrit, après
l'avènement de Louis XVI, toutes les
garanties de discipline sociale et de
loyalisme en célébrant en loge, mais
après la messe, telle victoire en
Amérique ou la naissance du dauphin.
Elle fit cependant beaucoup plus pour le
renom de la vieille monarchie en faisant
siennes certaines de ses méthodes
gouvernementales : elle prit des arrêtés
qui eurent force de loi dans toute
l'étendue du royaume, c'est-à-dire dans
tous les orients de France, elle fixa
l'assiette et le montant de l'impôt dû par

les ateliers, qui reçut le nom de « don
gratuit », la même expression désignant
la contribution exceptionnelle du clergé
au roi, devenue au fil du temps...
obligatoire.

Et surtout, elle se réserva le privilège
de constituer et de dissoudre les loges, à
l'instar du monarque qui détenait, depuis
toujours, celui de faire et défaire les
communautés. L'institution centrale de
l'Ordre avait certes le charme de la
nouveauté, mais celle-ci faisait si bon
ménage avec la tradition de
l'absolutisme que de nombreux frères
doutèrent rapidement de la nouveauté,
dénoncèrent le « despotisme » du Grand-
Orient de France et quittèrent la franc-
maçonnerie parce qu'ils n'y avaient pas
rencontré la démocratie.

Au cours de mon enquête sur le
« terrain » maçonnique, je n'a donc pas
repéré la construction de la « sociabilité
démocratique » que François Furet avait
dessinée. L'entreprise fut peut-être
menée ailleurs, dans les cafés, dans les
salons, dans les sociétés, avec des
profanes et sans doute avec des frères
infidèles à l'Ordre.

L'HISTOIRE : *Est-ce à dire que la franc-
maçonnerie ne participe en aucune
manière à la modernité ?*

GÉRARD GAYOT : Evidemment non : au
XVIIIe siècle, les francs-maçons ne
cessèrent pas de parler du plaisir de se
retrouver pour « causer » ensemble, ce
plaisir de la conversation qui, avec la
chimie de Lavoisier et le sensualisme de
Condillac, furent les grandes aventures
intellectuelles tentées à l'époque des
Lumières. Les loges offrirent aux frères
d'autres agréments que la simple
convivialité. Initier d'abord, c'est-à-dire
mettre en scène, avec un rituel d'une
rare précision, la mort à la vie profane et
la découverte par le récipiendaire de la
lumière ; les mille ateliers français furent

autant de théâtres où les francs-maçons continuèrent à jouer la même pièce jusqu'à la Révolution française. Certains, nous le savons, furent lassés ou déçus par l'intrigue qui consistait en un psychodrame où chaque frère, tenant un rôle et une place fixés par l'immuable organisation spatiale et hiérarchique de la loge, était chargé de représenter le plaisir de la discipline et de l'harmonie sociale retrouvée.

Instruire sans cesse, après l'initiation. L'acharnement pédagogique des frères fut à la mesure de la force de leur croyance à l'éducation par les signes, les symboles et les mythes. Ils s'en servirent pour illustrer les vertus de l'inégalité des salaires, des états et des savoirs pour l'accomplissement du bonheur des hommes. Si, par hasard, les francs-maçons doutaient encore des mérites de la soumission et de la tradition pour la reconstitution du corps social, le catéchisme, cette pratique destinée à dire ce que l'on sait, à avouer que l'on sait encore bien peu et à admettre la supériorité de l'interrogateur, se chargeait de les ramener à la raison. Il y a plus : dans les catéchismes des hauts grades, on apprenait à redécouvrir le Dieu des chrétiens, ce Dieu qui tombait en quenouille sous les assauts répétés des grands et des petits philosophes. [...]

L'HISTOIRE :

Globalement, quel fut le rôle ou l'attitude des francs-maçons dans la Révolution ?

GÉRARD GAYOT : Le silence de l'appareil de l'Ordre atteste son imprévision et sa totale inadaptation à l'événement révolutionnaire. L'art royal, conçu pour éviter les révolutions et non pas pour les tramer, laissa la plupart des frères désarmés ou réprobateurs devant la « populace qui parlait impérativement et sans appel », pour reprendre la formule de l'un d'eux. Ces habitués du compromis et du plaisir de l'ordre sont innocents du complot contre l'Ancien Régime inventé à la fin du XVIIIᵉ siècle par l'abbé Barruel, et tout aussi innocents de la préparation, dans leurs laboratoires clandestins, de l'arsenal égalitaire et démocratique du jacobinisme, accusation lancée un siècle plus tard par Augustin Cochin et reprise par François Furet. [...]

La franc-maçonnerie d'Ancien Régime, qui n'avait jamais cessé d'apprendre à concilier les devoirs du sujet et les obligations du frère, ne pouvait prévoir qu'un jour le sujet deviendrait citoyen. La réconciliation entre le citoyen et le frère eut bien lieu, mais après la Révolution française. Ce fut même le grand-œuvre des francs-maçons au XIXᵉ siècle.

entretien avec Gérard Gayot, dans *L'Histoire*, n°49, octobre 1982

Napoléon n'a pas été maçon. Sur cette gravure (de propagande maçonnique?), il porte tablier et sautoir, et effectue le serment de main rituel : le « grattement » de la paume.

Ces planches sont extraites de l'*Histoire pittoresque de la franc-maçonnerie* de F.T.B. Clavel (1843) : réception d'un apprenti (en bas à gauche), banquet rituel maçonnique (ci-dessous) et réception au 33e degré (ci-contre), que l'auteur décrit ainsi : «La loge ou suprême conseil du trente-troisième et dernier grade, appelé souverain Grand-Inspecteur général, est tendue en pourpre; des têtes de mort et des os en sautoirs sont brodés sur la tenture. Au milieu de la salle, sur un piédestal quadrangulaire couvert d'un tapis cramoisi, est une Bible ouverte et une épée. Au nord du piédestal, un squelette humain, debout, tient, de la main gauche, le drapeau blanc de l'ordre du temple, et, de la droite, un poignard, qu'il élève comme pour frapper.»

Le frère Kipling

Né à Bombay en 1865, l'écrivain anglais Rudyard Kipling fut initié à l'âge de vingt et un ans dans une loge de Lahore. Son attachement aux rites initiatiques transparaît dans «Le Livre de la jungle» (1894) et dans «Kim» (1901). En 1896, de retour en Angleterre, il rédige ce célèbre poème qui entretient la nostalgie d'une maçonnerie coloniale véritablement pluraliste, tolérante et fraternelle.

«La Loge Mère»

Il y avait Rundle, le chef de gare
Beaseley, des voies et travaux
Black, le sergent du train des équipages,
qui fut deux fois notre Vénérable,
et aussi le vieux Frankee Eduljee
qui tenait la boutique
   «Aux babioles d'Europe».

Dehors on se disait : «Sergent,
   Monsieur, Salut, Salam»
Dedans c'était «Mon Frère»,
et ça ne faisait de mal à personne.
Nous nous rencontrions sur le niveau
et nous nous quittions sous l'équerre.
Moi, j'étais Second Expert
   dans ma Loge, là-bas !

Il y avait encore Bola Nath, le comptable
Saül, le juif d'Aden
Din Mohamed, du bureau du cadastre
le sieur Babu Chuckerbutty
Amir Singh, le Sick,
Et Castro, des ateliers de réparations,
un vrai catholique romain !

Nos décors n'étaient pas riches
Notre Temple était vieux et nu
Mais nous connaissions
   les Anciens Devoirs
et nous nous y tenions au poil.

Quand je me reporte à ce temps
souvent, il me vient à l'esprit
qu'il n'existe pas de soi-disant infidèles
sauf peut-être chacun de nous.

Chaque mois, après les Travaux
nous nous réunissions pour nous asseoir
   et fumer.
Nous n'osions pas avoir d'agapes
pour ne pas heurter les vœux de caste
   d'un Frère.
Et à cœur ouvert nous parlions
de la religion et du reste…
chacun de nous se rapportant
au Dieu qu'il connaissait le mieux.

L'un après l'autre, les Frères
    prenaient la parole
et aucun de nous ne s'agitait.
L'on se séparait à l'aurore,
    quand s'éveillaient les perroquets
et le maudit oiseau porte-fièvre.

Comme nous nous en revenions à cheval,
Mahomet, Dieu et Shiva
jouaient étrangement à cache-cache
    dans nos têtes.

Bien souvent, étant de service
mon pas vagabond s'est hâté
et j'ai porté de fraternels saluts
aux Loges de l'Est et de l'Ouest
selon que les ordres reçus
m'envoyaient à Kohart
    ou bien à Singapour.

Mais combien je voudrais les revoir tous,
ceux de ma Loge Mère, là-bas!
Comme je voudrais les revoir,
mes Frères noirs ou bruns
et sentir le parfum des cigares indigènes
pendant que circule l'allumeur
et que le vieux limonadier
ronfle sur le plancher de l'office,
et me retrouver parfait Maçon
    une fois encore
        dans ma Loge d'autrefois.

Dehors on se disait : «Sergent,
    Monsieur, Salut, Salam»
Dedans, c'était «Mon Frère»,
et ça ne faisait de mal à personne.
Nous nous rencontrions sur le niveau
et nous nous quittions sur l'équerre.
Moi, j'étais Second Expert
    dans ma Loge, là-bas!

Des maçons bien ordinaires

A une quarantaine d'années d'intervalle, deux écrivains profanes – Guy de Maupassant et Jules Romains – font parler des francs-maçons, non sans quelque ironie. Sous le mode romanesque, ils parviennent à restituer le climat des loges françaises de leur époque. Leur regard de profane, posé sur des maçons bien ordinaires, fait mouche à chaque fois, et aide à cerner au plus près les réactions et les questions du public, face à une institution qui demeure énigmatique... aussi longtemps qu'on n'en fait pas partie.

Les épées des frères forment une voûte, appelée «voûte d'acier» : ce rituel est destiné à honorer les dignitaires de l'obédience lors de leur entrée dans la loge, ainsi qu'à les protéger contre les mauvaises influences célestes.

Portrait d'un libre penseur

Mon oncle Sosthène était un libre penseur comme il en existe beaucoup, un libre penseur par bêtise. On est souvent religieux de la même façon. La vue d'un prêtre le jetait en des fureurs inconcevables ; il lui montrait le poing, lui faisait des cornes, et touchait du fer derrière son dos, ce qui indique déjà une croyance, la croyance au mauvais œil. Or, quand il s'agit de croyances irraisonnées, il faut les avoir toutes ou n'en pas avoir du tout. Moi qui suis aussi libre penseur, c'est-à-dire un révolté contre tous les dogmes que fit inventer la peur de la mort, je n'ai pas de colère contre les temples, qu'ils soient catholiques, apostoliques, romains, protestants, russes, grecs, bouddhistes, juifs, musulmans. Et puis, moi, j'ai une façon de les considérer et de les expliquer. Un temple, c'est un hommage à l'inconnu. Plus la pensée s'élargit, plus l'inconnu diminue, plus les temples s'écroulent. Mais, au lieu d'y mettre des

encensoirs, j'y placerais des télescopes et des microscopes et des machines électriques. Voilà !

Mon oncle et moi nous différions sur presque tous les points. Il était patriote, moi je ne le suis pas, parce que le patriotisme, c'est encore une religion. C'est l'œuf des guerres.

Mon oncle était franc-maçon. Moi, je déclare les francs-maçons plus bêtes que les vieilles dévotes. C'est mon opinion et je la soutiens. Tant qu'à avoir une religion, l'ancienne me suffirait.

Ces nigauds-là ne font qu'imiter les curés. Ils ont pour symbole un triangle au lieu d'une croix. Ils ont des églises qu'ils appellent des Loges avec un tas de cultes divers : le rite Ecossais, le rite Français, le Grand-Orient, une série de balivernes à crever de rire.

Puis, qu'est-ce qu'ils veulent ? Se secourir mutuellement en se chatouillant le fond de la main. Je n'y vois pas de mal. Ils ont mis en pratique le précepte chrétien : «Secourez-vous les uns les autres. La seule différence consiste dans le chatouillement. Mais, est-ce la peine de faire tant de cérémonies pour prêter cent sous à un pauvre diable ? Les religieux, pour qui l'automne et le secours sont un devoir et un métier, tracent en tête de leurs épîtres trois lettres : J. M. J. Les francs-maçons posent trois points en queue de leur nom. Dos à dos, compères.

Mon oncle me répondait : «Justement nous élevons religion contre religion. Nous faisons de la libre pensée l'arme qui tuera le cléricalisme. La franc-maçonnerie est la citadelle où sont enrôlés tous les démolisseurs de divinités.»

Je ripostais : «Mais, mon bon oncle (au fond je disais : "vieille moule"), c'est justement ce que je vous reproche. Au lieu de détruire, vous organisez la concurrence : ça fait baisser les prix, voilà

tout. Et puis encore, si vous n'admettiez parmi vous que des libres penseurs, je comprendrais ; mais vous recevez tout le monde. Vous avez des catholiques en masse, même des chefs du parti. Pie IX fut des vôtres, avant d'être pape. Si vous appelez une Société ainsi composée une citadelle contre le cléricalisme, je la trouve faible, votre citadelle.»

Alors, mon oncle, clignant de l'œil, ajoutait : «Notre véritable action, notre action la plus formidable a lieu en politique. Nous sapons, d'une façon continue et sûre, l'esprit monarchique.»

Cette fois j'éclatais. «Ah ! oui, vous êtes des malins ! Si vous me dites que la Franc-Maçonnerie est une usine à élections, je vous l'accorde, qu'elle sert de machine à faire voter pour les candidats de toutes nuances, je ne le nierai jamais ; qu'elle n'a d'autre fonction que de berner le bon peuple, de l'enrégimenter pour le faire aller à l'urne comme on envoie au feu les soldats, je serai de votre avis ; qu'elle est utile, indispensable même à toutes les ambitions politiques parce qu'elle change chacun de ses membres en agent électoral, je vous crierai : «C'est clair comme le soleil !» Mais si vous me prétendez qu'elle sert à saper l'esprit monarchique, je vous ris au nez.

«Considérez-moi un peu cette vaste et mystérieuse association démocratique, qui a eu pour grand-maître, en France, le prince Napoléon sous l'Empire ; qui a pour grand-maître, en Allemagne, le prince héritier ; en Russie le frère du czar ; dont font partie le roi Humbert et le prince de Galles ; et toutes les caboches couronnées du globe !»

Cette fois mon oncle me glissait dans l'oreille : «C'est vrai, mais tous ces princes servent nos projets sans s'en douter.

– Et réciproquement, n'est-ce pas ?»

Et j'ajoutais en moi : «Tas de niais !»

L e bourgeois philanthrope, archétype
du franc-maçon au XIXe siècle.

Et il fallait voir mon oncle Sosthène
offrir à dîner à un franc-maçon.

Ils se rencontraient d'abord et se
touchaient les mains avec un air
mystérieux tout à fait drôle, on voyait
qu'ils se livraient à une série de pressions
secrètes. Quand je voulais mettre mon
oncle en fureur je n'avais qu'à lui
rappeler que les chiens aussi ont une
manière toute franc-maçonnique de se
reconnaître.

Puis mon oncle emmenait son ami
dans les coins, comme pour lui confier
des choses considérables ; puis, à table,
face à face, ils avaient une façon de se
considérer, de croiser leurs regards, de
boire avec un coup d'œil comme pour se
répéter sans cesse : « Nous en sommes,
hein ? »

Et penser qu'ils sont ainsi des millions
sur la terre qui s'amusent à ces simagrées !
J'aimerais encore mieux être jésuite.

> Guy de Maupassant,
> « Mon Oncle Sosthène »,
> dans *Les Sœurs Rondoli*, 1884

Interrogatoire d'un ex-maçon

*Dans les années vingt, Jerphanion et
Laulerque, deux amis épris de mystère et
de fraternité, interrogent Ardansseaux,
graveur de son état, qui a quitté la franc-
maçonnerie après deux ans d'assiduité.*

– Vous y étiez entré avec la foi ? dit
Jerphanion.

– Oui, dame oui. J'ai toujours eu la
passion des idées. Mais j'entends penser
par moi-même ; avec mes bouquins.
Seulement, je venais d'avoir un gros
chagrin, à l'époque. Ma femme, que
j'adorais, m'avait abandonné. Elle était
partie avec notre enfant. Alors un ami
m'a parlé de la Franc-Maçonnerie. Je me
suis dit : « Essaye, mon vieux. Ça te fera
un foyer. » […]

Ce n'était pas, il est vrai, à l'amoureux
infortuné que s'intéressait Jerphanion.
C'était au témoin oculaire des mystères
de la Maçonnerie. Toutefois, il ne voulait
pas lui montrer une curiosité trop
impatiente. Il lui dit, du ton le plus
détaché possible :

– Une fois là-dedans, qu'est-ce qui
vous a surtout déplu ?

– Oh ! presque tout.

– Vraiment ?

– Oui… D'abord, je suis artiste, moi.
Je suis sensible à l'aspect. Il fallait voir le
lieu où nous nous réunissions ; c'est ce
qu'ils appellent leur temple ! Ça doit être
pareil partout. C'est d'un toquard ! Je
n'aime pas les curés, et je trouve le
dogme absurde. Mais menez-moi à
Notre-Dame ou à Saint-Merri, un
dimanche où il y a de la musique, ça, je
veux bien.

– Comment est-ce fait, un temple
maçonnique ?

– Comment est-ce fait ?

– Oui.

Ardansseaux leva la tête, fit saillir ses

yeux ronds, la prunelle tournée vers le haut, cligna laborieusement des paupières. Il avait l'air de se débattre avec une image peu commode à saisir.

Il répéta :

– Un temple ?… Un temple ?… Oui, eh bien, c'est moche. Je vous dirai… je ne sais pas, moi… il faut voir cette couleur, cette décoration… Une fois, je suis entré dans une petite église protestante, évangélique, je ne sais pas au juste… non, ça ne vous donnerait pas une idée… Figurez-vous plutôt… Oh, mais non… j'allais vous dire que ça évoquait plutôt le grand café de province… vous savez, la salle intérieure, avec des colonnes, des machins partout… ou l'établissement de bains turcs, sauf qu'il n'y a pas de bassin… ou même le bobinard de luxe… Sans faire de rapprochement, bien entendu… en me plaçant uniquement au point de vue de l'effet d'ambiance, et sous le rapport plastique, dans le sens coco. [...]

Il fouilla dans une de ses poches ; en tira une vieille enveloppe ; trouva un bout de crayon à dessin dans une poche de son gilet ; et se mit à tracer sur le dos de l'enveloppe une sorte de plan qu'il accompagnait de commentaires. Les traits de crayon étaient d'un beau noir gras, mais la netteté des détails en souffrait. Parfois Ardansseaux griffonnait un mot en marge du dessin, et le rattachait d'un coup de crayon approximatif. Un détail qu'il voulait signaler.

– Ça, c'est les quatre murs… Ça, tout ça, là, c'est ce qu'ils appellent l'Orient. C'est surélevé. Et un peu en demi-cercle. Il y a des marches, et une balustrade. Vous avez, là, le trône du Vénérable, l'autel du Vénérable, devant, et l'autel des Serments… L'autel du Vénérable, c'est ce petit rectangle. Je vous indique la forme… Par ici, de chaque côté, vous avez des colonnes, cinq, six, je ne me rappelle plus, engagées dans le mur… Ailleurs, peut-être que les colonnes se présentent autrement, ça, je ne sais pas. Et alors ici, de chaque côté de l'entrée, deux autres colonnes, plus grosses, bronzées, avec un truc de lumière… oui, qui les éclaire du dedans, quand on veut… Vous avez tout le temps des trucs comme ça. Ils adorent ça. Il y a chez eux une part énorme de théâtre pour les gosses, de Châtelet. [...]

– C'est là que les membres de la Loge s'assoient pendant les séances ?

– Attendez… D'abord, on ne dit pas une séance, on dit une tenue… Non, ils ne s'assoient pas comme vous croyez… Ce serait trop simple… Non… De chaque côté, en long, vous avez des banquettes… Au milieu, ça reste vide ; sauf le tableau de la Loge… Oui, horizontal, comme ça. C'est de la toile. Une toile peinte. Il paraît qu'ailleurs c'est une espèce de tableau noir, avec des figures à la craie, comme dans les écoles. Je ne peux pas vous dire. Les banquettes de ce côté-ci, ils appellent ça la colonne du Midi, ou du Sud… c'est symbolique… ne pas confondre avec les autres colonnes, les vraies… En face, ça s'appelle les colonnes du Nord… Naturellement. Ainsi : Nord, Est (l'Orient, ici, l'Est, comme partout) Sud… reste l'Ouest… A l'Ouest, il y a l'entrée et le Parvis. [...]

Dans ma Loge à moi, les Apprentis et les Compagnons s'asseyaient ici, du côté du Nord, les Apprentis devant ; les Maîtres, eux, du côté du Midi. Il paraît que dans d'autres Loges, les Compagnons viennent s'asseoir ici, du même côté que les Maîtres. Ça dépend peut-être du nombre des uns et des autres. C'est un détail… Mais voilà, je n'ai plus de place… Sur l'estrade, j'ai oublié de marquer la table de l'Orateur, et la table du Secrétaire. Et puis ici, il y a encore la table du Frère Hospitalier, et puis le pliant du Frère Expert… et un autre, de l'autre côté, qui c'est ? attendez… le Premier Surveillant… non, voilà que je ne sais plus…

– Ça m'a l'air très compliqué…

– Je vous crois, que c'est compliqué… Non, je suis bête, le Premier Surveillant et le Second Surveillant, c'est ici, devant chacune des colonnes lumineuses, le Frère Couvreur, à l'entrée, entre les deux Experts. Je vous crois, que c'est compliqué… Et encore, je ne vous parle pas d'un tas de trucs, que vous devez avoir dans la tête, si vous voulez être bon maçon : les lettres sur les colonnes, les inscriptions, les problèmes. Il ne s'agit pas non plus de confondre les insignes. Tout à coup, vous vous dites : ce frère-là, avec cette chose qui lui pend, est-ce que ce n'est pas le Grand Expert ?… Ah ! non, le Grand Expert, c'est celui qui a la règle et le glaive. Celui-ci, il se contente d'un fil à plomb : donc, c'est le Second Surveillant. Et tout le temps comme ça. A croire qu'ils ont fait exprès d'en mettre et d'en fourrer, tant qu'ils pouvaient, pour impressionner les gens, vous savez, surtout les nouveaux, pour leur occuper constamment la tête avec des riens. Pendant que les frères ont la sueur au front, à se demander s'ils vont bien se rappeler le pas de l'apprenti, si dans leur émotion ils ne partiront pas du pied gauche ; ou si, quand le Vénérable criera : « Frères qui décorez la colonne du Sud… » ils ne vont pas tout à coup confondre le Sud et le Nord… et ainsi du suite… car il ne s'agit pas non plus de se tromper dans les batteries, ou de se taper la cuisse quand il faut se taper l'avant-bras, ni de gueuler : « Houzé ! Houzé !…» une minute avant les copains. Surtout qu'ils voulaient prendre les positions de trois quarts, de sorte que vous n'avez pas

la ressource de regarder comme fait le voisin pour l'imiter. En petit comité comme ça, la moindre gaffe se remarque. Vous passez pour une patate… Alors, pendant ce temps-là, vous gardez l'esprit contracté, et vous ne pensez pas à contredire. Ça vous dresse, quoi ! comme au régiment.

Ardansseaux ajouta, avec un rire et une quinte de toux :

– C'est ce qu'ils appellent la libre pensée.

Jerphanion se tripotait la barbe, fronçait le nez et les lèvres, hochait la tête :

– Vraiment, c'est à ce point-là ? Il y a une formalisme pareil ? Vous ne parlez pas d'usages qui ont plus ou moins disparu ?

– Pas le moins du monde.

– Mais alors, si je vous comprends, ce serait bien plus compliqué et formaliste qu'à l'église ? A l'église, le prêtre, les enfants de chœur, ont un certain nombre de rites à accomplir. Soit. Mais les fidèles, on leur laisse la paix. Tout ce qu'on leur demande, c'est de se lever et de s'asseoir, de temps en temps, et encore…

– Bien plus compliqué… Je n'ai guère fréquenté les églises depuis ma première communion, mais je me rappelle suffisamment. Dans les Loges, tout est archi-compliqué. Même quand vous croyez que les simagrées sont finies, et qu'on va discuter une des questions à l'ordre du jour, car enfin, c'est tout de même parce que vous vous intéressiez à certaines idées que vous êtes entrés là-dedans, eh bien, les chichis recommencent Si vous voulez parler, vous devez vous lever, frapper un coup dans vos mains, et étendre le bras vers le surveillant de votre colonne. Vous jugez si ça favorise l'inspiration ! C'est ce qui explique que tout là-dedans a l'air chiqué ; vous voyez ce que je veux dire ? Même les arguments qui s'échangent, on a l'impression qu'ils sont répétés d'avance, et que c'est du récité par cœur. Ils ne savent rien faire naturellement, ni appeler les choses par leur nom. Vous vous figurez peut-être qu'avant d'ouvrir la séance, le Vénérable dit tout simplement, comme ferait un président n'importe où : « Allez voir si la porte est fermée pour que nous soyons tranquilles » ? Peuh ! Il prend sa voix la plus caverneuse : « Frère Premier Surveillant, quel est le premier devoir des Surveillants en Loge ? » Et tout le monde est debout, pendant ce temps-là, hein ? au garde-à-vous. L'autre répond : « Vénérable, c'est de voir si la Loge est bien couverte, et de voir si tous les frères qui occupent les colonnes sont maçons. » Alors le Grand Expert va faire le Jacques dans les couloirs ; les surveillants passent le long des colonnes, et les inspectent d'un œil torve. Vous savez, on dirait des enfants qui jouent au voleur… Tout est dans le même jus. Lire le procès-verbal de la dernière séance, ça s'appelle donner lecture de la planche tracée de la dernière tenue. Leurs banquets ! J'y ai assisté deux ou trois fois. L'imbécile qui est à côté de vous, et qui tient à vous épater, à vous montrer qu'il est plus ancien que vous, se met à vous parler du voile de la plate-forme, ou bien il vous demande si ce n'est pas votre drapeau qu'il a déployé par erreur. Il s'agit tout bonnement de la nappe de la table et de votre serviette. C'est comme les épreuves d'initiation. Ça, c'est le comble !

— On raconte tellement de choses là-dessus, dit Jerphanion, de son air le plus engageant, et en tachant de mettre dans sa curiosité toute la discrétion dont il était encore capable.

— Vous savez qu'ils n'aiment pas qu'on parle de ça… […]

— Oh ! je ne suis pas assez bête pour redouter leurs prétendues vengeances…

M aurice Monnier, grand maître de la Grande Loge de France de 1922 à 1924 et de 1930 à 1931.

Si j'avais peur d'eux, je ne vous aurais pas parlé comme j'ai fait. Et puis, vous n'irez pas le répéter, n'est-ce pas ?

Jerphanion et Laulerque protestèrent de leur mieux.

Ardansseaux parut réfléchir. Puis :

— Oui, mon tort, ç'a été de me prêter à ces momeries-là. C'était le moment de m'apercevoir que je faisais fausse route. On a une excuse. On est, malgré tout, un peu abasourdi. C'est l'intéressé qui se rend le moins compte de ce qui se passe. Je n'ai pu vraiment en juger que plus tard, quand j'ai assisté à la réception d'autres néophytes. Vous m'avouerez :

ce malheureux type qu'on voit arriver les yeux bandés, le bras et le haut de la poitrine, à gauche, tout nus, comme si le médecin allait lui faire une piqûre, sa jambe droite de pantalon relevée du genou ; et qui boitille, parce qu'on lui a enlevé un de ses souliers, ça a quelque chose de lamentable. On se croirait à une séance d'hypnotisme dans une baraque de la foire. Et les trois voyages, parlez-moi de ça ! Les dangers ! Les frères qui poussent des cris d'animaux. L'imitation du tonnerre dans la coulisse. Il paraît que ça varie suivant les Loges, et aussi selon qu'ils supposent que le type à recevoir est plus on moins couillon. Mais c'est toujours dans le même genre de bêtise. Par exemple, on te fait pirouetter le type ; on l'amène se cogner le nez contre un mur ; on l'oblige à faire l'écureuil sur l'échelle sans fin. [...]

– Est-ce qu'on ne raconte pas aussi des histoires de cercueil, de testament ?

– Ah ! oui… Le cabinet de réflexions, avec le mur peint en noir, les squelettes, la tête de mort, les inscriptions terrifiques… oui… c'est même par là qu'on commence. Alors ça, ce n'est pas encore Luna-Park, c'est plutôt cabaret du Néant. Mais comme vous voyez, on ne sort pas de la foire.

Il s'interrompit, but une gorgée, et changeant de ton :

– Je vous ai déjà parlé des binettes qu'on rencontre chez eux. Quand on les voit, ça explique tout. Naturellement, vous en avez de plusieurs espèces. Ma Loge à moi était moins rupine que celles des grands quartiers. Mais même dans la mienne il n'y avait pas que des gueules de bistrot endimanché. Non. Disons qu'ils forment le fond de la troupe. Par là-dessus, vous trouvez pas mal de bobines de dentistes, de fonctionnaires, quelques-unes d'avocats, de médecins, mais, de préférence, des avocats sans

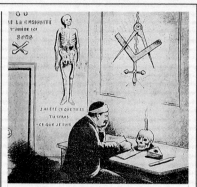

Le cabinet de réflexion : «Comme vous voyez, on ne sort pas de la foire.»

cause et des médecins des morts. Ça, c'est les gens à grande barbe ; ceux qui s'entendent comme personne à prendre des airs funèbres et à proférer d'une voix creuse : «Frères qui décorez la colonne du Sud…» Mais, les uns comme les autres, on sent bien ce qu'ils sont venus chercher là-dedans. Je laisse de côté les arrivistes purs et simples. Voilà : c'étaient des gens qui avaient bien certaines idées, plus ou moins vaguement, mais qui n'auraient pas été capables de rester le nez plongé dans un bouquin, pendant des heures, comme je fais, moi. Non. Ça les aurait embêtés. Ils n'auraient pas pu suivre. Et puis c'étaient des gens qui avaient des côtés gosse, alors, que ça passionnait, toutes ces histoires de cabinet noir, de squelettes, de serments, de signes secrets, de reconnaissance. Très gosse également le goût pour les mots détournés de leur sens, parce qu'on se donne comme ça l'orgueil d'être des initiés, surtout quand les expressions qu'on emploie ont l'air de se rapporter toutes à une même chose, qui devient du coup mystérieuse, qui fait travailler l'imagination. Chez eux, tout se rapporte au temple, à la Construction du Temple. Il n'est question que de truelle, de fil à plomb, d'équerre, ou que de colonne à décorer, et que de temple à tuiler, ou que de Frère Couvreur et de Frère Expert. Le jeu consiste en ça. S'arranger pour dire tout ce qu'on a besoin de dire sans quitter le langage de ce métier-là; et en même temps combiner des choses à faire ensemble qui aient l'air de se rapporter à ce métier-là, qui continuent le roman. Remarquez, nous avons tous fait ça quand nous étions petits; je me rappelle quand je jouais au loueur de voitures, ou au chemin de fer, ou à la guerre, avec des camarades. [...]

– Eh bien, pour les Maçons, c'est un peu kif-kif. Eux aussi, ils s'obligent; ils se créent des difficultés, pour le plaisir. En somme, ce sont des gens qui se réunissent de temps en temps pour jouer à un jeu compliqué. Le reste du temps, ils ont leurs métiers, leurs embêtements, la vie, quoi! qui n'a rien d'une rigolade. La Loge, c'est des vacances. Mais comme justement ils sont des gens sérieux dans la vie, hein? qu'ils ont tous plus ou moins des situations, enfin qu'en général ils n'ont rien de petites folles – suffit de les voir – ils n'oseraient jamais venir comme ça jouer ensemble, même entre quatre murs, et toutes les portes bien fermées. A leur âge, ils auraient honte. Alors ils ont une excuse épatante : tout ça, toutes les singeries qu'ils font, c'est symbolique, oui, ce sont des symboles. Ça représente des idées, et justement des idées qu'ils avaient tous plus ou moins et qui les ont poussés à entrer dans la Maçonnerie, mais en bien plus fort, en bien plus profond. Vous comprenez, à partir de ce moment-là, l'équerre, le fil à plomb, le tablier à bavette, le pas de l'apprenti, le signe d'horreur devant le cadavre d'Hiram, même l'échelle sans fin et la lampe à lycopode, ça devient sublime. La moindre gueule de bistrot se

dit qu'elle travaille à la Reconstruction du Temple, avec tout ce que vous pouvez mettre de mirobolant dans ces mots-là; et que c'est du travail d'initiés, que ça ne regarde pas le premier venu. [...] Parmi les frères, vous en avez plus d'un qui a, comme qui dirait, la nostalgie de la religion, soit que les cérémonies d'Église l'aient remué quand il était petit, soit pour des raisons de tempérament. Eh bien, on lui fait voir qu'il n'a rien à regretter, que la Maçonnerie aussi a ses mystères, mais qu'au lieu d'être des mystères pour vieilles bonnes femmes, ou châtelaines réactionnaires, des histoires à dormir debout de Dieu unique en trois personnes ou d'Immaculée Conception, ce sont des mystères pour penseurs laïques et républicains. Qu'en plus, à l'église, il ne serait qu'un simple fidèle, à écouter le curé bouche bée et à lui regarder faire sa cérémonie. Tandis que là, il est à la fois, en somme, le prêtre et le fidèle. Et on lui raconte que tous les grands philosophes, que tous les grands écrivains, qui ont lutté depuis des siècles pour l'émancipation de l'esprit humain, de l'humanité, eh bien, que tout ce qu'ils ont écrit en vers et en prose, vous savez, les grandes tirades d'Hugo, et le reste, ça se rapporte à ces mystères-là, que ça y fait allusion; et que d'ailleurs c'est à la tradition maçonnique qu'ils les ont empruntés... oui, que les plus grands hommes des temps modernes, y compris Napoléon, étaient tous des initiés, qui avaient reçu les secrets de la Maçonnerie; et qu'ils travaillaient à la Reconstruction du Temple. Alors comme la gueule de bistrot se dit qu'il y travaille, en faisant ses petits exercices, vous pensez si ça la flatte.

– Ce qui serait déjà plus intéressant », dit Jerphanion, à qui les dernières phrases du graveur venaient d'ouvrir des perspectives; et en particulier de rappeler certaines des vues excitantes de Laulerque. «Oui, beaucoup plus intéressant. Il semble en résulter qu'il y aurait tout de même, derrière ce rideau de cérémonies, ou de simagrées, si vous voulez, une doctrine plus ou moins secrète, et qui remonterait loin... qui aurait déjà manifesté son action dans l'Histoire.» Il regarda Laulerque. «Il serait donc on ne peut plus intéressant de connaître cette doctrine.

Mais le graveur haussa les épaules.

– Des boniments! De la poudre aux yeux. Je m'étais dit ça comme vous dans les premiers temps, et ça m'avait aidé à supporter les âneries en question. Mais, à part quelques phrases creuses que vous pouvez lire partout, je n'ai jamais rien vu venir. Vous comprenez. Il faut bien qu'ils fassent croire ça, pour tenir leurs troupes en haleine, et aussi pour défendre la Maçonnerie contre certaines attaques, qui la représentent comme une simple bande d'arrivistes sans scrupules, une bande fortement organisé, décidée à réussir ses coups par tous les moyens. [...]

– Soit. Vous venez de parler de bande fortement organisée, qui a des coups à réussir...

– C'est le langage de leurs adversaires...

– Oui... j'entends bien... Disons pour quitter le style de l'injure, que la Maçonnerie poursuit des buts... Ça ne me paraît pas contestable... soit que ces buts répondent à la doctrine, soit que la prétendue doctrine ne serve en réalité que de trompe-l'œil, ou d'alibi... Selon vous, quels sont, en réalité, ces buts? Ceux que tout le monde croit connaître, plus ou moins, et qui n'ont rien de bien transcendant : défense laïque et républicaine, etc.? Ou y en a-t-il d'autres, dont on ne parle pas?

Ardansseaux manifesta un embarras extrême :

– Ça, c'est la bouteille à l'encre. On ne peut rien affirmer. On peut tout supposer.

– Supposer... Mais dans quel sens?

– Je ne sais pas.

– Soit. Mais le seul fait que vous ayez dit : «On peut tout supposer», prouve que vous avez eu l'impression, pendant que vous fréquentiez les Loges, que toute leur activité ne se bornait pas à faire faire à des gens de bonne composition quelques exercices saugrenus. Vous avez dit aussi : «On les dresse». Mais c'est pour les faire servir à quelque chose. A quoi?

– D'abord il y a des mots d'ordre qui circulent. Par exemple, quand il s'agit de soutenir tel ou tel candidat aux élections, ou bien de favoriser un mouvement d'opinion, ou de lutter contre... c'est selon... chacun avec les moyens dont il dispose.

– Ça, on s'en doute. Mais n'y a-t-il pas des buts plus vastes, et plus secrets?

– Comment voulez-vous savoir? C'est de ça aussi que je me suis rendu compte, à la réflexion, après que j'y étais entré. Je me suis dit : «Qu'est-ce que tu es, toi, là-dedans? Et les autres frères qui font les mariolles avec toi? De pauvres petits bougres. Du menu fretin. On raconte bien que toutes les Loges sont égales entre elles et qu'en dehors des trois grades qui y sont représentés, les Apprentis, les Compagnons, les Maîtres, il n'y a rien, pas d'autre hiérarchie; donc que le jour où vous serez passé Maître, vous n'aurez personne au-dessus de vous. Mais c'est du pur boniment. Et ils se contredisent puisqu'ils reconnaissent eux-mêmes qu'il y a les hauts grades, et les grands conseils. Mais à côté de ce qu'ils avouent, il y a peut-être ce qu'ils n'avouent pas. Des chefs encore plus hauts, et encore plus cachés. Alors vous pensez si dans une Loge de quartier, on se sent peu de chose : des pantins de la dernière catégorie. [...]

Ardansseaux clignait des paupières, levait la main droite avec circonspection, se rengorgeait. Puis il se pencha sur la table, en faisant un petit mouvement de la tête, qui voulait dire : « Approchez. Ceci est encore plus confidentiel. » Les deux autres se penchèrent aussi. Il murmura :

– Quand on entre dans la Maçonnerie, on se dit : « Je vais enfin découvrir les fameux mystères de la Maçonnerie ». Eh bien, non... Ce qu'on découvre... si, il y a une chose qu'on découvre à ce moment-là, c'est que justement il existe des mystères, dont on ne se doutait pas en entrant dans les Loges, et que ces mystères-là, tout maçon qu'on est devenu, on ne les connaîtra jamais. Il releva le buste, jouit de l'effet qu'il avait produit, se pencha de nouveau :

– ... Ou on ne les connaîtra que tout à fait par hasard, et sans lendemain. Tenez, un petit exemple... quand vous rencontrerez un maçon de haut grade, ça peut arriver, eh bien, demandez-lui ceci, d'un air innocent ? oui. Dites-lui : « Monsieur... On m'a parlé des Loges d'adoption. Qu'est-ce que c'est que les Loges d'adoption ? »

– Il me répondra ?

– Vous verrez... Peut-être qu'il fera l'homme qui tombe de la lune. C'est même le plus probable. Peut-être qu'il s'écriera avec indignation : « Vous croyez à des calomnies aussi absurdes, aussi puériles ? » Ou bien, il prendra la chose en riant : « Bah ! C'est une vieille histoire ! En admettant que ça ait jamais existé, ça date de plus d'un siècle ! » Enfin, vous verrez.

– Et vous savez ce que c'est, vous ? Ardansseaux prit un air très entendu.

Le signe de l'apprenti : « Ça vous dresse, quoi ! comme au régiment. »

Son visage, ses yeux aux prunelles soudain relevées vers le ciel, parurent évoquer des images agréables. Il dit seulement :

– Il ne s'agit pas de moi. [...]

Il dit encore :

– Une autre fois, demandez-leur... Mais non, j'y réfléchis... C'est seulement quand on est déjà maçon qu'il peut y avoir un prétexte à poser cette question-ci... [...]

Soudain le graveur s'assombrit. Une idée préoccupante venait de le saisir. Il regarda fixement Jerphanion :

– Naturellement vous me donnez votre parole d'honneur que si un jour vous entrez dans la Maçonnerie vous ne révélerez jamais notre conversation de ce soir ? Vous ne prononcerez pas mon nom ?

– Je vous en donne ma parole d'honneur.

Jules Romains,
Les Hommes de bonne volonté,
« La Recherche d'une église »,
Flammarion, 1958

Les maçons aujourd'hui

Renouveau à l'Est, renforcement en France : en termes de recrutement, la franc-maçonnerie d'aujourd'hui semble bien se porter. Ce relatif succès pourrait cependant lui nuire s'il s'accompagnait d'un éclatement plus grand encore en obédiences diverses, et d'une concurrence redoublée entre elles.

Dans les années qui suivent la Libération, la franc-maçonnerie, toute entière occupée à sa reconstruction, reste sans influence sur le milieu politique. Comme la France, elle se réorganise et panse ses plaies.

Au cours de ces années, les deux principales obédiences (GODF et GLF) ne retrouvent pas le terrain parlementaire qui avait naguère (cause ou effet) favorisé leur essor. Le parti radical est décimé et le parti socialiste (SFIO), l'un des viviers de la franc-maçonnerie, se trouve encadré [...] par un parti communiste hostile à l'éthique maçonnique et un parti démocrate-chrétien (MRP), jugé antilaïc et qui condamne la doctrine de l'école unique. Pour le franc-maçon socialiste Paul Ramadier, gouverner avec de tels alliés n'est pas chose aisée. L'occasion lui sera donnée de rompre avec son aile gauche mais le départ du PC n'améliore pas sa position sur le terrain de la laïcité. A la tête de la SFIO, puis du gouvernement, Guy Mollet rencontre les mêmes contradictions. Il en souffre peut-être moins, étant moins attaché que Ramadier à l'esprit maçonnique – il donnera plus tard sa démission du Grand-Orient. Mais surtout l'affaire algérienne vient se substituer provisoirement à la question scolaire qui divise sa majorité.

Pour les loges, l'appartenance au parti communiste n'est pas en soi un cas d'empêchement. S'il y a antinomie entre l'idéal maçonnique et celui du PC, concilier les deux est affaire de conscience pour le postulant. Pour le Parti, en revanche, l'interdit s'impose à tous. Il faudra la guerre, l'occupation et la camaraderie de la Résistance pour faire fléchir le PC.

Au lendemain de la Libération, un accord entre Maurice Thorez, son secrétaire général, et Francis Viaud, grand-maître du Grand-Orient, normalise les rapports entre les deux puissances et permet la double appartenance. Il en sera fait peu usage : s'il y a des communistes dans certaines loges, notamment de la région parisienne, leur audience est aussi faible dans l'obédience qu'au sein du Parti où ils sont marginalisés.

Il est aujourd'hui impossible de traduire en termes politiques l'influence dominante dans une obédience. Toutes les tendances, à l'exception des idéologies totalitaires, y sont représentées. Et lorsqu'une influence paraît majoritaire, comme celle du socialisme, elle est elle-même divisée en « courants » ou perturbée par tant de facteurs étrangers à la politique qu'une assemblée pourra indifféremment porter au sommet le progressiste marxisant Jacques Mitterrand, le peintre Fred Zeller, ancien collaborateur de Trotski, farouche antisoviétique, ou le radical giscardien Jean-Pierre Prouteau. Certes, en dehors des « fraternelles » qui regroupent (hors obédience) les maçons d'une même profession, il existe une « fraternelle » socialiste – la « fraternelle Ramadier » – que préside M. Roger Fajardie, franc-maçon du Grand-Orient et conseiller du Premier ministre M. Pierre Mauroy, mais cette association répond plus aux critères d'une « amicale » que d'un « groupe de pression » en faveur d'un unique candidat socialiste. [...]

Faute de pouvoir agir efficacement sur le terrain parlementaire, GODF et GLF préparent l'avenir en mettant à l'étude dans leurs loges les questions qui leur paraissent devoir s'imposer à moyen ou à long terme : information et communication, problèmes de l'agriculture, de l'école, de l'université,

M arie-France Coquard, grande maîtresse de la Grande Loge Féminine de France.

de la recherche et de l'investissement, du productivisme économique et de ses aspects négatifs, de l'emploi, du travail et des loisirs, de l'émancipation féminine [...], de la prévention de la délinquance des jeunes. Ce travail des loges a souvent trouvé son prolongement dans les colloques ouverts au public, dont les participants n'étaient pas toujours des francs-maçons, et qui ont réussi à sensibiliser l'opinion à ces questions. L'un des premiers colloques en mai 1963, fut consacré aux « problèmes de la paysannerie ». La Grande-Loge féminine, elle-même, a inauguré sa politique des colloques en traitant, en avril 1975, des « perspectives sociologiques de l'évolution des femmes ». Beaucoup d'énergie est aussi dépensée en des règlements de comptes intérieurs ainsi qu'à débattre des grands thèmes doctrinaux qui divisent la franc-maçonnerie. Faute de «débouchés» parlementaires, les obédiences sont conduites à approfondir divers aspects de la tradition et de la doctrine maçonniques. Les trois principales obédiences créent en 1957 un Centre d'étude et de recherches (CER) axé sur les questions philosophiques, initiatiques, religieuses et historiques. Les statuts de cette association établissent ainsi son programme : «étudier l'histoire de la franc-maçonnerie, ses symboles, ses rites, l'initiation, l'ésotérisme, les modes d'accès à la spiritualité, la philosophie des religions».

Le rajeunissement des effectifs et l'évolution des milieux où ils se recrutent modifient aussi progressivement la vision que se font les loges de la vie économique. Depuis les années soixante, de nouvelles couches de la population sont attirées par la franc-maçonnerie : chercheurs scientifiques, techniciens des industries de pointe, cadres de l'industrie et du commerce apportent un sang neuf et viennent relayer les instituteurs, professeurs, fonctionnaires des administrations centrales ou départementales, qui constituaient avant guerre la majorité des effectifs. Les actifs du secteur privé sont aujourd'hui majoritaires rue Cadet. Il ne faut pas conclure de cette évolution à la transformation des mentalités dans l'ensemble de la population française : la franc-maçonnerie reste une institution élitique et notre pays compte au total moins de quatre-vingt mille adhérents. Mais, à l'intérieur des loges, le changement est visible. Il transforme non seulement la vision des problèmes économiques mais aussi la perception conflictuelle de la question religieuse. […]

Qui est maçon ?

Quelles sont aujourd'hui les sources du «recrutement» maçonnique ? Les professions libérales (médecins, avocats, notaires, huissiers), les fonctions paramédicales, la fonction publique (anciens fonctionnaires coloniaux, université, enseignement, administrations fiscales et financières, entreprises nationales, Sécurité sociale), les cadres de l'industrie et du commerce. Ces secteurs d'activité, aux effectifs nombreux, fournissent la masse du recrutement. Mais, si l'on considère les catégories très minoritaires dans la nation, il faut signaler la proportion relativement importante dans les loges d'artistes, d'acteurs, de journalistes, de publicitaires, de chercheurs scientifiques, d'écrivains et, naturellement aussi, d'élus politiques. Rares, nous l'avons vu, sont les communistes, et absente l'extrême-droite. En dehors des socialistes et des radicaux, on ne trouve guère que quelques gaullistes venant du radicalisme, peut-être aussi quelques «modérés». Les mêmes tendances se retrouvent à la grande-loge féminine. Le classement politique devient beaucoup plus difficile avec la GLNF […].

Peut-on tracer le profil intellectuel et moral du franc-maçon français ? Le sens de la mesure et de la relativité des vérités (la conviction profonde qu'en politique surtout il n'est aucune vérité intangible) forme l'héritage commun de la maçonnerie.

Avec le sens de la durée, de la germination, un optimisme foncier et la certitude que le progrès moral est possible, la recherche permanente des harmonies individuelles et collectives constitue le meilleur produit de la maïeutique initiatique des francs-maçons. En contrepoint apparaissent des

T enue blanche au Grand Orient de France le 24 avril 1971, à l'occasion du centenaire de la Commune de Paris : les frères entonnent *l'Internationale*.

traces d'orgueil dans l'idée, parfois exprimée naïvement, des mérites d'antériorité de la méthode maçonnique : avant Freud et ses disciples, elle aurait inventé la psychanalyse et la psychologie de groupe.

Si l'on met à part le cas des francs-maçons dits «réguliers», dont l'histoire est différente, on ne peut éliminer de cette ébauche de portrait moral l'empreinte de l'anticléricalisme. La marque en est presque effacée chez les plus jeunes, mais elle ride encore profondément le visage des anciens. L'anticléricalisme aura été l'un des ciments dont ils se seront servis pour unifier la maçonnerie dite «latine» (ou «libérale»). Cette franc-maçonnerie, dont le Grand-Orient de France fut la

locomotive », se présente comme requérant de ses membres «une disponibilité mentale prête à réviser ses propres valeurs à l'audience d'autrui» [...]. Les catholiques en furent longtemps écartés car cette disponibilité avait pour limites l'adhésion aux «valeurs» de l'Eglise. Pour M. Jacques Mitterrand par exemple, interrogé dans cette même émission, il est dans la nature profonde de l'église d'imposer autoritairement ses propres valeurs quand elle se trouve en situation de puissance. Son respect de la liberté de penser ou de croire n'est qu'une concession purement tactique, liée aux situations de faiblesse. Un membre de cette Eglise sera donc toujours suspect d'avoir aliéné sa liberté.

S'il s'agit là, comme nous le pensons,

d'un procès immérité, l'histoire humaine de l'Église catholique permet néanmoins d'en comprendre les raisons. En effet, lorsque ce jugement s'est formé au sein des loges, la réalité était bien celle d'un cléricalisme dominateur, et le déiste Jean Macé, fondateur de la Ligue de l'enseignement (1866) avant d'être initié à la loge La Parfaite Harmonie, à Mulhouse (l'un des plus ardents pionniers du laïcisme), combattait un danger qui n'était pas illusoire.

Aujourd'hui, les obédiences européennes, rassemblées sur l'initiative des Grands-Orients de France et de Belgique, perpétuent cette tradition avec moins de raison. Elles ont constitué en 1961 à Strasbourg un «centre de liaison et d'information des puissances maçonniques signataires de l'appel de Strasbourg» (CLIPSAS), dont la laïcité reste le principe, et le cléricalisme l'ennemi. Ces obédiences, toutefois (il faut leur rendre justice), s'efforcent d'élargir la notion de laïcité. Bureaucratie, technocratie et totalitarismes, estiment-elles, sécrètent désormais une nouvelle forme de «cléricalisme», plus dangereux dans l'immédiat que celui d'une Église, encore soupçonnée certes, mais dont au haut dignitaire du Grand-Orient de France, M. Corneloup, disait, en juin 1973, qu'elle n'avait «pas fini de nous étonner».

Bien des catholiques ne sont pas loin de penser : «Le cléricalisme, voilà l'ennemi!» Et nombre de francs-maçons n'écartent plus tout à fait l'idée de s'associer à eux pour lutter contre cet ennemi aux formes nouvelles. Certains même, qui repoussent une telle alliance, accusant l'Église d'opportunisme et lui reprochant de «récupérer» à son profit la politique maçonnique de défense des droits de l'homme, admettent néanmoins qu'il existe des convergences et aiment à

Le grand temple du Grand Orient de France, à Paris, rue Cadet.

citer la volonté, commune aux uns et autres, d'assurer, selon l'expression d'un grand-maître, la «liaison entre l'Utopie et la politique».

Mais les uns et les autres ont aussi leurs «réalistes» qui ne s'embarrassent pas d'utopie et leurs «intégristes» qui ne s'embarrassent pas de politique.

Alain Guichard,
extraits de «Le nouveau visage de la franc-maçonnerie»,
L'Histoire, n°49, octobre 1982

«La franc-maçonnerie ressuscite à l'Est»

L'événement est passé inaperçu et pourtant il revêtait une signification historique. C'était en avril dernier, à

Prague. Emissaire d'une société secrète honnie par tous les régimes communistes, un homme – un Français – était reçu par les autorités locales – le Premier ministre, le vice-président de l'Assemblée nationale, le maire de la capitale – avec les égards habituellement réservés aux grands visiteurs officiels. La télévision lui consacra une longue émission, en direct, à une heure de grande écoute. Et l'événement mérite d'autant plus d'être rapporté que la visite de ce dignitaire habitué à plus de discrétion précéda de quelques jours celle de l'un de ses adversaires les plus résolus, le pape en personne…

M. Jean-Robert Ragache en sourit encore. Cet homme, c'était lui, le grand maître du Grand Orient de France (GODF), la principale obédience maçonnique française, venu en Tchécoslovaquie pour prendre sa part à l'une des conséquences les moins spectaculaires mais pas la moins originale ni la moins importante pour l'avenir, des bouleversements survenus dans les pays de l'Est : la résurrection de la franc-maçonnerie partout où celle-ci avait été jugulée par le communisme. « A Prague, nous avons retrouvé vingt-quatre frères maçons qui n'avaient pratiquement plus de relations entre eux depuis la fin de la dernière guerre, raconte M. Ragache avec émotion. Ce sont tous de vénérables septuagénaires, mais avec eux, et avec le concours de leurs frères qui vivaient en exil chez nous, nous allons aider au mouvement des libertés dans leur pays. C'est un test de démocratie. »

Le lendemain de son passage à la télévision tchécoslovaque, où il avait expliqué que les idéaux maçonniques, hérités des valeurs vénérées au Moyen Age par la confrérie des bâtisseurs de cathédrales, sont la tolérance, la liberté, la justice et la fraternité, M. Ragache reçut près de mille deux cents demandes d'adhésion à la première loge, aussitôt installée à Prague. Une autre le sera bientôt à Brno. Ainsi sera renoué un vieux fil.

Ce n'est pas un hasard, en effet, si le regain de la tradition maçonnique de l'Europe orientale commence en Tchécoslovaquie, c'est-à-dire dans un pays où la mémoire collective n'a pas oublié qu'avant l'ère communiste, franc-maçonnerie rimait déjà avec nationalisme. Le grand maître du Grand Orient de France a été accueilli avec beaucoup de sympathie à Prague parce que, aux yeux de Vaclav Havel et de ses amis, il incarnait un messager des idéaux qui furent ceux de deux autres frères maçons illustres : Edouard Bénès, président de la République tchécoslovaque démissionnaire après les accords de Munich, en 1938, et son prédécesseur à cette présidence, Thomas Masaryk, le père de Jan Masaryk, ministre des Affaires étrangères du gouvernement tchécoslovaque en exil, à partir de juillet 1940, qui se suicida après l'occupation de son pays par les troupes soviétiques. Mais l'intervention du Grand Orient de France, voulue par une poignée de Tchécoslovaques exilés à Paris, se limitera à un parrainage spirituel. Dès que les loges locales seront assez nombreuses, elles constitueront une obédience autonome.

A Budapest, où l'on conserve pieusement le souvenir de Geza Supka, le grand maître de la franc-maçonnerie hongroise, qui se donna la mort en 1950 pour échapper aux persécutions communistes, c'est l'autre branche maîtresse de la franc-maçonnerie française, la Grande Loge de France (GLF), qui s'est manifestée la première, il y a quatre mois, par l'intermédiaire de l'un des acteurs de la révolte de 1956 réfugié en France. La fondation d'une première loge à Budapest sera suivie d'une deuxième implantation dans le sud du pays, à Szeged. Les deux principales obédiences françaises veulent ainsi contribuer à perpétuer une tradition qui remonte au dix-huitième siècle, à l'époque où les francs-maçons de Bohême et de Hongrie, souvent formés dans le giron de l'Eglise réformée, apparaissaient comme les champions du progrès social dans leurs combats contre la tuberculose, la variole, l'illettrisme, la misère et, en certains endroits de Roumanie, contre l'esclavage des Tziganes. Une loge est également en voie de constitution en Yougoslavie, à Belgrade, sous les auspices conjoints de la Grande Loge de France et de la Grande Loge unie d'Allemagne.

Jean-Robert Ragache, un des artisans de la renaissance de la maçonnerie à l'Est.

Dans les autres pays de l'Est, la résurrection de la franc-maçonnerie sera plus difficile. En Pologne, l'influence de l'Eglise catholique et son allergie à toute concurrence spirituelle maintiennent un climat dissuasif que les dissensions de Solidarité ne font qu'alimenter. Le courant syndical qui conteste aujourd'hui les orientations personnelles de Lech Walesa «est dénoncé comme une gauche laïcarde», souligne le grand maître du GODF. La suspicion entretenue par les communistes autour du rôle des francs-maçons, sur fond d'antisémitisme, n'est donc pas dissipée. Si la franc-maçonnerie polonaise, naguère florissante, renaît de ses cendres ce sera d'abord sous une forme relativement clandestine. Certaines sources affirment même que c'est déjà fait.

En Roumanie, une telle perspective

reste, pour l'instant, franchement inconcevable. Pour des raisons que les dignitaires de la franc-maçonnerie française ont encore du mal à comprendre mais qui tiennent sans doute, là aussi, au discours véhiculé par les opposants catholiques à l'ancien régime, franc-maçon demeure synonyme de diable pour la plupart des Roumains. « On a même raconté que Ceausescu était mort en portant sur lui un grand cordon maçonnique ! affirme M. Ragache. Ce serait criminel de pousser à la création de loges dans ce pays. » L'attitude des nouvelles autorités politiques à l'égard des minorités est de nature à renforcer ce sentiment.

En revanche, même si le grand maître du Grand-Orient de France ou celui de la Grande Loge de France semblent avoir peu de chances d'être très prochainement invités en grande pompe au Kremlin, l'URSS se montre beaucoup plus aimable qu'hier avec les francs-maçons qu'elle pourchassait il n'y a pas si longtemps. Un représentant de l'ambassade soviétique à Paris s'est rendu récemment au siège du GODF, rue Cadet pour y expliquer la politique gorbatchévienne. Il a transmis à Moscou une demande officielle de création d'une loge en territoire russe. Celle-ci a été enregistrée par le Kremlin qui a toutefois subordonné sa décision à une future réglementation des associations. Le temps n'est plus où les francs-maçons étaient tous assimilés aux contre-révolutionnaires tsaristes ou aux suppôts du capitalisme international mais, de toute évidence, les dirigeants soviétiques ne sont pas pressés de se départir de la circonspection de Khrouchtchev. [...]

Alain Rollat,
Le Monde, 10 juillet 1990

Edouard Bénès et Thomas Masaryk, deux maçons tchèques qui œuvrèrent pour la liberté, et dont le souvenir est aujourd'hui ravivé dans le pays.

QUELQUES MAÇONS CÉLÈBRES

Des hommes de lettres et des philosophes
Montesquieu, Voltaire, Casanova, Choderlos
de Laclos, le marquis de Sade, le comte Joseph
de Maistre, Rouget de Lisle, Gotthold Ephraïm
Lessing, Goethe, Herder, Alexander Pope,
Burns, Walter Scott, Sheridan, Vittorio Alfieri,
Stendhal, Emile Littré, Stéphane Mallarmé,
Jules Vallès, Proudhon, Oscar Wilde, Vicente
Blasco Ibanez, Alexandre Pouchkine, Heinrich
Heine, Mark Twain, Arthur Conan Doyle,
Rudyard Kipling, Georges Dumézil, Frédérick
Tristan.

**Parmi les musiciens, de grands compositeurs,
mais aussi quelques jazzmen de renom**
Joseph Haydn, Ludwig van Beethoven,
Wolfgang Amadeus Mozart, Cherubini,
Franz Liszt, Jean Sibelius, Giacomo Meyerbeer,
Count Basie, Duke Ellington, Lionel Hampton,
Louis Armstrong.

**Chez les politiques, des rois, des militaires,
des libérateurs, des ministres**
Frédéric II de Prusse, Frédéric-Guillaume Ier,
Léopold Ier de Belgique, George Washington,
George IV, George VI, Edouard VII et Edouard
VIII (d'Angleterre), le marquis de La Fayette,
Joseph Bonaparte, Benjamin Franklin, David
Crockett, Franklin D. Roosevelt, Giuseppe
Garibaldi, Winston Churchill, Harry S. Truman,
Theodore Roosevelt, Lyndon B. Johnson, Simon
Bolivar, Gerald Ford, Salvador Allende, Abd-el-
Kader, Omar Bongo, Eduard Benès, le maréchal
Joffre, Wellington, le comte de Mirabeau, Jules
Ferry, Henri Emmanuelli, Roland Dumas, Pierre
Joxe, Charles Hernu.

Des artistes
Le sculpteur Bartholdi, Cecil B. De Mille, Oliver
Hardy, Clark Gable, John Wayne, Marc Chagall,
Juan Gris.

De nombreux savants, inventeurs et industriels
Les médecins Alexander Fleming et Edward
Jenner, Samuel Hahnemann, inventeur de
l'homéopathie, les frères Montgolfier, John
Macadam, George M. Pullman, l'astronaute
Edwin Aldrin, W. P. Chrysler, Henry Ford, Olds
et André Citroën, Samuel Colt, le psychologue
Ovide Decroly, Henri Dunant, fondateur de la
Croix-Rouge, K. C. Gillette, l'aviateur Charles
Lindbergh.

GLOSSAIRE

Admission : procédure visant à admettre
le candidat dans une loge avant de l'initier.
Toute admission trouve à son origine une
demande pour entrer dans un atelier, soit que
le candidat la formule lui-même, soit qu'il soit
approché par un frère. Une enquête est ensuite
effectuée par plusieurs maçons pour s'assurer
que le candidat est «libre et de bonnes mœurs».
Enfin, le futur initié est interrogé par tout ou
partie de la loge, laquelle, dans un vote final,
décidera d'admettre ou non le candidat.

Apprenti : premier degré de la franc-
maçonnerie, commun à tous les rites.

Atelier : synonyme de loge, dans le premier sens,
c'est-à-dire comme assemblée de maçons.

Attouchements : signes de reconnaissance
mutuelle utilisés entres maçons dans la vie
profane. Pour l'apprenti : de la main droite,
presser avec le pouce et par trois fois l'index de
celui auprès duquel on veut se faire connaître.
Pour le compagnon : presser le médius deux fois,
en plus de l'index. Pour le maître : appuyer
l'extrémité de l'index et du médius sur le poignet
de son interlocuteur.

Compagnon : deuxième degré de la franc-
maçonnerie, commun à tous les rites. S'emploie
aussi pour désigner le «compagnon du devoir»,
membre du compagnonnage.

Convent : assemblée annuelle des représentants
des loges d'une obédience.

Degré : synonyme de grade, désigne les échelons
successifs que le maçon gravit dans sa quête
initiatique. Leur nombre varie, selon les rites,
de 3 à 33, et même au-delà : le rite Memphis-
Misraïm en comprend 99.

Esotérisme : du grec *esoterikon* qui signifie
«de l'intérieur». Système de croyances
philosophiques ou religieuses qui débouche
sur une interprétation du monde et auquel on
n'a accès que par initiation ou par illumination.
Par extension, doctrine secrète réservée à un
petit nombre d'initiés.

Grade : synonyme de degré.

Grand Architecte de l'Univers : un des symboles les plus contestés de toute l'histoire de la franc-maçonnerie. Pour certains, le Grand Architecte est le dieu du monothéisme, pour d'autres un au-delà indéfinissable, pour d'autres encore un idéal terrestre sans référence à un absolu.

Illuminisme : autre versant des Lumières. Mouvement qui réagit contre le rationalisme et laisse la place à la mystique, à l'illumination intérieure, à l'ésotérisme et à la théosophie.

Initiation : d'après Mircéa Eliade, «ensemble de rites et d'enseignements oraux qui poursuit la modification radicale du statut religieux et social du sujet à initier». L'initiation maçonnique est donc plus qu'une procédure d'admission dans une société fermée, elle poursuit une transformation en profondeur du néophyte.

Loge : synonyme d'atelier dans le sens où la loge est un ensemble de maçons qui se réunissent au même endroit et au même moment pour travailler ensemble. C'est aussi le local où les maçons se réunissent.

Maillet battant : expression désignant le rituel prévu lors de l'entrée dans une loge de dignitaires de l'obédience : le vénérable et les deux surveillants frappent à intervalles réguliers sur des plateaux.

Maître : troisième degré de la maçonnerie, commun à tous les rites. On n'est pleinement maçon que lorsque l'on accède à ce grade. Les fonctions de la loge sont remplies par des maçons qui ont au moins ce grade.

Morceau d'architecture : discours prononcé par un frère dans une loge.

Obédience : fédération de loges. Entité administrative regroupant des loges travaillant de la même façon, dans un même état d'esprit. Il existe plusieurs obédiences en France (Grand Orient de France, Grande Loge de France, Grande Loge nationale française, Droit Humain, etc.) et dans le monde. Les obédiences dites «régulières» sont celles qui sont reconnues par la United Grand Lodge of England, à Londres.

Orient : direction d'où vient la lumière. C'est donc à l'Orient que l'on trouve le vénérable de la loge, mais aussi l'orateur, le soleil, la lune, le triangle lumineux, etc. Dans la loge, cet Orient ne correspond pas nécessairement avec l'Est géographique. Par extension, l'Orient désigne la localisation de la loge. Exemple : la loge Les Amis de la Bienfaisance à l'Orient d'Aix-en-Provence.

Planche : tout écrit émanant d'une obédience, d'une loge ou d'un franc-maçon.

Rite : ensemble de rituels. Il existe de nombreux rites maçonniques : le Rite Ecossais Ancien et Accepté (à 33 degrés), le Rite Ecossais Rectifié (à 6 degrés), le Rite Emulation (pratiqué par les obédiences régulières et composé des 3 premiers degrés) le Rite Français (à 7 degrés), le Rite d'York, etc. Certains ne sont plus en usage, d'autres – très anciens – ont évolué avec le temps.

Rituel : élément du rite, il est déterminé par le rite pratiqué. Les rituels scandent la vie d'une loge : rituel d'initiation, d'ouverture et de fermeture des travaux, d'installation d'un nouvel atelier, des agapes, du décès d'un frère, etc.

Rose-Croix : fraternité mythique au début du XVIIe siècle puis réelle au XVIIIe siècle, en Allemagne principalement. C'est aussi le 18e degré du Rite Ecossais Ancien et Accepté, celui de Souverain Prince Rose-Croix.

Tableau de loge : synonyme de tapis de loge. C'est une représentation graphique des symboles d'un grade dans un rite déterminé.

Temple : synonyme de loge dans le second sens, c'est-à-dire le local de réunion des maçons.

Tenue : réunion de maçons se déroulant dans une loge. La tenue *blanche*, que les obédiences régulières ne pratiquent pas, est une tenue ouverte à un ou plusieurs invités profanes. On distingue la tenue blanche *fermée*, où l'orateur est profane et le public composé seulement de maçons, de la tenue blanche *ouverte*, où l'orateur est maçon mais le public composé de maçons et de profanes (il s'agit le plus souvent de parents ou d'amis des maçons).

Théosophie : ensemble des doctrines prétendant comprendre et explorer le monde à partir de la religion.

Vénérable : fonction de président d'une loge, dévolue à un maçon qui a au moins le grade de maître.

OBÉDIENCES

Il existe aujourd'hui deux grandes tendances au sein de la franc-maçonnerie : la tradition anglo-saxonne, dite «régulière» (qui exige de ses membres la croyance en Dieu et concerne plus de 90 % des maçons dans le monde), et la tradition «libérale» (ou encore «latine»), dominante en France. On estime que le nombre de maçons dans le monde se situe entre 7 et 10 millions, dont environ 1 million en Grande-Bretagne, 70 000 en France et 4 millions aux Etats-Unis. Il y a en France une dizaine d'obédiences.

Grand Orient de France (GODF)
16, rue Cadet, 75009 Paris
Fondé en 1773. Exclusivement masculin.
37 000 frères, 700 loges.
Grand maître : Gilbert Abergel.

Grande Loge de France (GLF)
8, rue Puteaux, 75017 Paris
Née en 1738.
Exclusivement masculine, elle fait référence au Grand Architecte de l'Univers.
23 000 membres, 550 loges.
Grand maître : Jean-Louis Mandinaud.

Grande Loge Nationale Française (GLNF)
65, boulevard Bineau, 92220 Neuilly-sur-Seine
Née en 1913 d'une scission du Grand Orient.
Seule obédience «régulière», reconnue par Londres, elle revendique l'absolue croyance en Dieu. Exclusivement masculine.
15 000 membres, plus de 400 loges.
Grand maître : M. Charbonniaud.

Grande Loge Nationale Française-Opéra (GLNF-Opéra)
Fondée en 1958. Scission de la GLNF.
1 000 adhérents et 40 loges.

Le Droit humain (DH)
5, rue Jules-Breton, 75013 Paris
Né en 1894 d'une scission du Grand Orient.
Mixte.
11 000 membres, 400 loges.

Grande Loge Féminine de France (GLFDF)
4, cité du Couvent, 75011 Paris
Fondée en 1952. Exclusivement féminine.
9 000 membres, 250 loges.

BIBLIOGRAPHIE

Expositions
- *Bicentenaire du GODF, 1773-1973*, Grand Orient de France, Paris, 1973.
- *Fragments impressionnés, tabliers maçonniques des XVIIIe et XIXe siècles*, Centre culturel français, Turin, 1991.
- *Freimaurer, solange die Welt besteht*, Musée historique de la ville de Vienne (Autriche), 1992-1993.
- *La Franc-Maçonnerie et l'Europe du XVIIIe siècle à nos jours*, Bruxelles, Hôtel de Ville, 1993.
- *La Franc-Maçonnerie*. Musée d'Aquitaine, Bordeaux, juin-octobre 1994.

Du même auteur
Nefontaine (Luc),
- *La Franc-Maçonnerie*, Cerf-Fides, 1990.
- *Eglise et franc-maçonnerie*, Editions du Chalet, 1990.
- *La Franc-Maçonnerie. 50 mots*, Desclée de Brouwer, 1993.
- «Symbolique de la franc-maçonnerie», dans le *Dictionnaire des religions*, sous la direction de P. Poupard, PUF, 1993.

Ouvrages généraux
- Bayard (Jean-Pierre), *Le Symbolisme maçonnique traditionnel* (2 vol.), Edimaf, 1987.
- Bérésniak (Daniel), *La Franc-Maçonnerie*, Grancher, 1988.
- Combes (André), *Les Trois Siècles de la franc-maçonnerie française*, Edimaf, 1989.
- Chevallier (Pierre), *Histoire de la franc-maçonnerie française* (3 vol.), Fayard, 1974-1975.
- Coutura (Johel), *Les Francs-Maçons de Bordeaux au XVIIIe siècle*, Editions du Glorit, Bordeaux, 1988.
- Doré (André), *Vérités et légendes de l'histoire maçonnique*, Edimaf, 1991.
- Dupuy (Richard), *La Foi d'un franc-maçon*, Plon, 1975.
- Faucher (Jean-André), *Les Francs-Maçons et le pouvoir, de la Révolution à nos jours*, Perrin, 1986.
- Ferrer Benimeli (José Antonio), *Les Archives secrètes du Vatican et de la franc-maçonnerie*, Dervy Livres, 1989.
- Gayot (Gérard), *La Franc-Maçonnerie française, textes et pratiques*, coll. «Folio Histoire», Gallimard, 1991.
- Halévi (Ran), *Les Loges maçonniques dans la France d'Ancien Régime*, Armand Colin, 1984.

- Kirk MacNulty (W.), *La Franc-Maçonnerie. Voyage à travers les rites et les symboles*, Seuil, 1993.
- Le Bihan (Alain), *Loges et chapitres de la Grande Loge et du Grand Orient de France*, Bibliothèque nationale, 1967.
- Le Forestier (René), *La Franc-Maçonnerie templière et occultiste*, Aubier, 1970.
- Lemaire (Jacques), *Les Origines françaises de l'antimaçonnisme*. Editions de l'Université de Bruxelles, 1985.
- Lhomme (Jean), Maisondieu (Edouard), Tomaso (Jacob), *Dictionnaire thématique illustré de la franc-maçonnerie*, Editions du Rocher, 1993.
- Ligou (Daniel), *La Franc-Maçonnerie et la Révolution française*, Chiron, 1989; *Dictionnaire de la franc-maçonnerie*, Presses Universitaires de France, 1992; *Histoire des francs-maçons en France*, Privat, 1981.

- Mellor (Alec), *Dictionnaire de la franc-maçonnerie et des francs-maçons*, Belfond, 1979.
- Morata (Raphaël), *La Franc-Maçonnerie. Le secret des objets*. Ed. Charles Massin, s.d.
- Naudon (Paul), *Histoire générale de la franc-maçonnerie*, Office du Livre/PUF, Paris-Fribourg, 1981.
- *La Franc-Maçonnerie*, coll. «Que sais-je?», Presses Universitaires de France, 1993.
- Tristan (Frédérick), *La Franc-Maçonnerie : documents fondateurs*, Cahier de l'Herne, 1992.
- Verdun (Jean), *La Réalité maçonnique*, Flammarion, 1982.

Revues maçonniques
- *Humanisme* (Grand Orient de France).
- *Points de vue initiatiques* (Grande Loge de France).
- *Travaux de la Loge nationale de recherches Villard de Honnecourt* (Grande Loge Nationale Française).

TABLE DES ILLUSTRATIONS

Erzbischöfliches Diözesan Museum, Cologne.
23 Le sculpteur Anton Pilgram, 1513, détail de l'orgue de la cathédrale Saint-Etienne à Vienne.

CHAPITRE II

24 «Le Maçon forgé à l'aide des outils de sa loge», gravure anglaise, 1754.
25 Inititiation maçonnique, frontispice du livre Der Verklärte Freymaurer, Vienne, 1791. GOF.
26 Gravure extraite d'un ouvrage d'alchimie de Thurnheisser, Leipzig, 1574.
26-27 Gravure illustrant la partition de la chanson The Free Mason's Health, Angleterre, 1722.
27 Première représentation d'un franc-maçon français, saisie par la police à Paris v. 1735. Bibl. nat., Paris.
28 Liste des loges de la Grande Loge de Londres, gravure, 1723. UGL.
28-29 «Les Free-Masons», gravure extraite de Cérémonies et coutumes religieuses de tous les peuples du monde, 1723. Bibl. nat., Paris.
30m Frontispice de la première édition des Constitutions d'Anderson, 1723. Bibl. nat., Paris.
30b Portrait du duc de Montagu. National Portrait Gallery, Londres.

31 Tablier anglais en cuir, v. 1790. UGL.
32 Réception d'un compagnon, gravure extraite du Nouveau Catéchisme des francs-maçons, 1749. Bibl. nat., Paris.
33g Détail d'un tablier hongrois : colonne et acacia. UGL.
33hd La présentation des plans du Temple au roi Salomon, gravure de A. Reinhardt Sohn, XVIIIᵉ s.
33bd Tablier de Maître élu des Quinze, avec allégorie de la vengeance d'Hiram, XVIIIᵉ s. GLF.
34h Précis du respectable ordre de l'art royal et maçonnique, aquarelle, manuscrit français, v. 1760. UGL.
34b Document de la loge Parfaite Vérité de Carcassonne autorisant la fondation de la loge Prudence à Saint-Paul-de-Fenouillet, 27 avril 1760, manuscrit et sceau. Bibl. nat., Paris.
35hg «Statuts de l'ordre royal de la franc-maçonnerie en France», 1773. GOF.
35hd Portrait de Louis-Philippe, duc d'Orléans, avec les attributs maçonniques, XVIIIᵉ s. Musée Condé, Chantilly.
35m Plat à décor maçonnique, France, Sud-Ouest, XVIIIᵉ s. GLF.
36-37 Tenue de loge maçonnique, dessin aquarellé, XVIIIᵉ s. Musée des Beaux-Arts, Lyon.
38 Scène d'initiation

maçonnique, aquarelle française anonyme, XVIIIᵉ s. Bibl. nat., Paris.
39h Tablier du philosophe Helvétius, porté par Voltaire le jour de son initiation, le 7 avril 1778, à la loge des Neuf Sœurs. GOF.
39m «A la gloire du Grand Architecte de l'Univers», diplôme de reconnaissance délivré par la loge La Bienfaisance à Beaune, au frère baron de Joursanvault, 1779. Bibl. nat., Paris.
40h Cagliostro dans une loge à Londres en 1786, caricature anglaise. UGL.
40b George Washington en costume maçonnique.
41h Intérieur du couvercle d'une boîte en émail de Saxe de la loge hollandaise La Bien-Aimée, fondée en 1735. GLF.
41m Préparation pour la réception, aquarelle de Ehrenreich Christof Rich. Hans Freiherr von Hirschfeldt.
42-43 Réception dans une loge à l'Orient de Vienne, peinture de Ignaz Unterberger, v. 1784. Musée historique de la ville de Vienne.
44 Tenue d'initiation du margrave Frédéric von Bayreuth par le roi de Prusse Frédéric II en 1740, lithographie.
45h Frontispice et page de titre de The Sufferings of John Coustos for Free-Masonry, Londres, 1746. UGL.

44-45b «Making a freemason!», gravure satirique anglaise, 1793. Musée Carnavalet, Paris.
46h La bulle In Eminenti de Clément XII, 1738. UGL.
46b Gravure maçonnique d'époque révolutionnaire illustrant le châtiment des trois meurtriers d'Hiram.
47 L'Union des trois ordres, tableau de Nicolas Perseval, 1789. Musée Saint-Denis, Reims.
48 Caricature anglaise illustrant une femme découvrant les secrets de la maçonnerie, XVIIIᵉ s. UGL.
49h «The Free Mason's Health», chanson de table, 1722.
49d «Repas des francs-maçons», gravure extraite du Nouveau Catéchisme des francs-maçons, Paris, 1743. Bibl. nat., Paris.
50-51 Tablier en cuir anglais, 1806. UGL.
52h Tablier de l'arche royale anglais, 1833. UGL.
52bg Tablier anglais en velours, 1820. UGL.
52bd Tablier en cuir, v. 1810. UGL.
53 Tablier anglais en lin, v. 1800. UGL.

CHAPITRE III

54 Les maçons Desmons et Lafferre, dans Le Pèlerin, 9 octobre 1904.
55 Tablier en peau ayant appartenu à Jérôme Bonaparte, début XIXᵉ s. GOF.
56h Roettiers de

TÉMOIGNAGES ET DOCUMENTS

INDEX

CRÉDITS PHOTOGRAPHIQUES

AKG, Berlin 42/43, 49h, 82h, 91h. Archive Photos, Paris 40b. Bibliothèque nationale, Paris 1/9, 12, 15g, 16, 28/29, 30m, 32, 34b, 39m, 49d, 82b, 100/101h, 105, 115, 117, 120, 126, 127, 128h, 128b, 129, 132. Board of General Purposes of the United Grand Lodge of England, Londres 1er plat de couv., 11, 28, 31, 33g, 34h, 40h, 45h, 46h, 48, 50/51, 52h, 52bg, 52bd, 53, 71h, 71b, 73, 92, 95h, 98. British Library, Londres 21. Jean-Loup Charmet, Paris 17h, 24, 26, 26/27, 27, 38, 44/45b, 56h, 58/59, 63h, 66, 69h, 70, 74/75h, 75b, 134. CIRIC/Alain Pinoges 148. CIRIC/Philippe Lissac 111h. Dagli-Orti, Paris 23. Deutsches Freimaurer Museum, Bayreuth 17b. Dorka, Paris 20, 44, 56b, 68m, 81, 138, 141. D.R. 19h, 33hd, 41m, 69b, 84, 87b, 89d, 100/101b, 114, 131. Edimédia, Paris 62, 64b, 72h, 74h, 83b, 88h. Gamma/Frédéric Reglain 86. Gamma/Hodson/Spoon 4e de couv., 110. Giraudon 35hd, 90/91. Giraudon/Brogi 72b. Grande Loge de France 57, 94md, 94bd, 99b. Grande Loge de France/Ph. Morbach 13. Grande Loge de France/Sylvain Hitau 33bd, 35m, 41h, 65m, 112. Grand Orient de France, Paris 14, 25, 35hg, 39h, 74b, 90, 91b, 94hd, 94hg, 95bg, 95bd, 96, 104h, 106h, 142. Grande Loge des Pays-Bas, La Haye/Marten F. J. Coppens 18h. M.-P. Guéna/C.F.D. 97, 100, 102/103, 106b, 109, 145, 146/147. Imapress/Camerapress 113. Imapress/Patrick Gely 80, 84/85, 85, 111b, 143. Josse, Paris 47. Keystone, Paris 54. Kharbine/Tapabor, Paris 54, 63m. Magnum/Abbas 89g. Magnum/Lessing 94bg. Maison de l'Outil et de la Pensée ouvrière, Troyes 18b, 19b. Musée d'Aquitaine/J.-M. Arnaud, Bordeaux, 76/79. Musée des Beaux-Arts, Lyon 36/37. National Portrait Gallery, Londres 30b. Rapho/J. P. Rey 88b, 93, 99h. Rheinisches Bildarchiv, Cologne 22. Roger-Viollet, Paris 15d, 46b, 60, 65h, 67h, 67b, 68b, 83h, 123, 124, 130, 137. Max Seidel 20/21. Sipa Press 55, 93hd. Sipa Press/Facelly 101. Sygma/Grassard 107. Sygma/J. Pavlovsky 61h, 108. Tallandier, Paris 56m, 60/61b, 98/99b, 104b, 104/105. Danièle Vanpé 87h. Jean Vigne 64h.

REMERCIEMENTS

L'auteur et les Editions Gallimard remercient André Combes, président de l'IDERM; Frank Langenaken, de la Bibliothèque du Grand Orient de Belgique; Philippe Morbach, de la Grande Loge de France; Hélène Camou, de la bibliothèque du Grand Orient de France; M. Kwaadgras, du Grand Orient des Pays-Bas, à La Haye; M. Schneider, du Deutsche Freimaurer Museum, à Bayreuth; Mme Morillon, du fonds maçonnique de la Bibliothèque nationale; Johel Coutura et le musée d'Aquitaine à Bordeaux; The United Grand Lodge of England à Londres.

ÉDITION ET FABRICATION

Découvertes Gallimard
DIRECTION : Pierre Marchand et Elisabeth de Farcy.
GRAPHISME : Alain Gouessant. FABRICATION : Violaine Grare. PRESSE & PROMOTION : Valérie Tolstoï.
La Franc-Maçonnerie
EDITION : Delphine Babelon. MAQUETTE : Laure Massin et Dominique Guillaumin (Témoignages et Documents). ICONOGRAPHIE : Any-Claude Médioni et Suzanne Bosman. LECTURE-CORRECTION : Catherine Lévine et Benoît Mangin. PHOTOGRAVURE : S.M.D.S. et Arc-en-Ciel. MONTAGE P.A.O. : Ductus et Dominique Guillaumin (Témoignages et Documents).

160

Table des matières